AMÉLIA ET LES PAPILLONS

Données de catalogage avant publication (Canada)

Noël-Maw, Martine
    Amélia et les Papillons
    (Collection Atout ; 110. Conte)
    Pour les jeunes de 12 ans et plus.
    ISBN 2-89428-864-6

1. Titre. II. Collection: Atout ; 110. III. Collection: Atout. Conte.

PS8627.O34A83 2006   jC843'.6   C2006-940021-0
PS9627.O34A83 2006

Les Éditions Hurtubise HMH bénéficient du soutien financier des
institutions suivantes pour leurs activités d'édition :

- Conseil des Arts du Canada ;
- Gouvernement du Canada par l'entremise du Programme d'aide
  au développement de l'industrie de l'édition (PADIÉ) ;
- Société de développement des entreprises culturelles du Québec
  (SODEC) ;
- Gouvernement du Québec par l'entremise du programme de
  crédit d'impôt pour l'édition de livres.

Éditrice jeunesse : Nathalie Savaria
Conception graphique : fig.communication graphique
Illustration de la couverture : Gabrielle Grimard
Mise en page : Philippe Langlois

© Copyright 2006
Éditions Hurtubise HMH ltée
Téléphone : (514) 523-1523 • Télécopieur : (514) 523-9969
www.hurtubisehmh.com

ISBN 2-89428-864-6

Distribution en France
Librairie du Québec/D.N.M.
www.librairieduquebec.fr

Dépôt légal/1er trimestre 2006
Bibliothèque nationale du Canada
Bibliothèque nationale du Québec

Imprimé au Canada

MARTINE NOËL-MAW

AMÉLIA ET LES PAPILLONS

MARTINE NOËL-MAW

Originaire de Rouyn-Noranda, au Québec, Martine Noël-Maw vit en Saskatchewan depuis 1993. Détentrice d'un baccalauréat en études françaises de l'Université de Montréal, elle partage son temps entre l'écriture, le travail de consultante en communications et l'enseignement du français, langue seconde à l'Institut français de l'Université de Regina. Martine est également l'auteure d'un roman intitulé *Dans le pli des collines* publié aux Éditions de la nouvelle plume, et finaliste pour le Prix du livre français du *2004 Saskatchewan Book Awards*.

Merci à mon amie Violette Talbot
qui, de Paris,
a fait un minutieux travail de relecture
simplement parce qu'elle a aimé cette histoire.

Merci à Tim, mon mari,
qui continue de m'encourager à écrire
des histoires même s'il ne peut pas les lire
— il n'est ni aveugle ni illettré,
simplement anglophone...

À la mémoire de mon père, Marcel Noël,
qui a su me transmettre
son sens de l'émerveillement.

« … tout homme blessé est contraint
à la métamorphose. »
Boris Cyrulnik
Un merveilleux malheur

1

L'ENFERMEMENT

— N'ouvre pas cette porte!

Le cri d'Amélia fut assourdi par l'épaisse porte de chêne qui bloquait l'entrée de sa chambre. Angelo s'immobilisa, la poignée de laiton au creux de la main.

— Je viens te rendre visite. Pourquoi ne veux-tu pas que j'entre?

— Va-t'en! Laisse-moi seule!

— Amélia, combien de temps vas-tu rester enfermée dans cette chambre?

— Aussi longtemps qu'il me plaira.

— Amélia, murmura Angelo, le front appuyé contre la porte érigée en frontière impénétrable entre lui et sa cousine.

Ce matin, comme tous les matins depuis des mois, Angelo était venu prendre des nouvelles de sa cousine et tenter de l'égayer. Ce matin, comme tous les matins, il retournerait chez lui sans même avoir aperçu ne serait-ce que l'ombre de celle qui habitait ses pensées jour et nuit.

Amélia des Hautbois, unique enfant de Théodore et de Cybèle des Hautbois, riches propriétaires terriens, était d'une beauté à faire croire aux anges. Le vert lumineux de ses yeux éclipsait celui de l'émeraude, et ses longs cils recourbés donnaient des ailes à ses paupières. Quant à ses cheveux, blonds et bouclés, ils étaient d'une finesse qui n'avait d'égale que la soie la plus raffinée.

Amélia avait grandi sur le domaine de ses ancêtres, dans la demeure la plus cossue du pays. Malgré sa beauté et sa richesse, elle avait été une fillette taciturne qui pleurait souvent sans raison. C'est du moins ce que croyait son entourage car, en vérité, Amélia souffrait d'un mal méconnu, celui dit des « âmes en peine ». Ce mal mystérieux, qui affecte certaines personnes dès leur plus jeune âge, comme c'était le cas pour Amélia, se caractérise par une détresse profonde s'exprimant à travers des pleurs intempestifs. Ainsi, un instant Amélia pouvait jouer gaiement et l'instant d'après, fondre en larmes.

Ces pleurs apparemment injustifiés déconcertaient ses parents, impuissants devant l'état de leur fille. Un soir, exaspérée par une nouvelle crise de larmes, Cybèle dit à Amélia :

— Tu ne sais pas pourquoi tu pleures ? Eh bien, je vais t'en donner, une raison de pleurer.

Sur cc, elle gifla son enfant. Les pleurs de la petite redoublèrent. Cybèle regretta aussitôt ce geste aussi cruel qu'inutile. Blessée, Amélia se jura de ne plus jamais pleurer devant qui que ce soit puisque même celle qui l'aimait le plus au monde ne pouvait ni la comprendre ni la consoler.

Amélia devait sa condition d'enfant unique au fait que ses parents s'étaient unis dans leur «décroissant», à un âge si avancé qu'ils étaient tous deux orphelins, à un âge si tardif que la venue d'Amélia avait suscité toutes sortes de spéculations, tant parmi les villageois que parmi les serviteurs du domaine. Le vieux Théodore pouvait-il vraiment être le géniteur de l'enfant que portait Cybèle? La très mûre Cybèle mettrait-elle au monde un monstre rachitique?

Il n'en fut rien. Par un matin de mai, Cybèle donna naissance à une enfant dont la beauté rayonnante précédait le passage. À sa première sortie dans le monde, les gens se précipitèrent en masse à l'approche du landau doré d'Amélia, poussé par Hilda, sa nurse anglaise, qui n'avait d'yeux que pour le trésor sur lequel elle avait l'immense honneur de veiller. Les «oh!» et les «ah!» des bourgeois joufflus et des paysans édentés fusèrent à qui mieux mieux. La petite

Amélia séduisait universellement. Les arbres ployaient leurs branches à son approche et les nuages se dissipaient pour permettre au soleil de l'éclairer sous son meilleur jour. Le chant des oiseaux se faisait plus mélodieux lorsque la petite jouait dans les jardins du domaine sous le regard émerveillé de ses parents.

Amélia grandit aux côtés de son cousin, Angelo. En fait, Angelo n'était pas véritablement son cousin, car il s'agissait d'un enfant abandonné que l'oncle et la tante d'Amélia avaient recueilli. Nul ne connaissait son âge ni sa date de naissance. Lorsqu'on célébra les cinq ans d'Amélia, Angelo demanda à ce qu'on fête son anniversaire le même jour que celui de sa cousine, ce qui fut fait. L'année suivante, il demanda Amélia en mariage et celle-ci accepta sans même connaître le sens du mot. Le petit bonhomme n'était pas vilain, mais le qualificatif «beau» n'effleura jamais l'esprit de quiconque en le voyant, et jamais personne ne s'extasia sur son passage. Étonnamment, bien qu'incapable d'apprécier sa propre beauté, Amélia trouvait plutôt agréable le visage de son cousin, décelant quelque chose de coquin dans ses yeux couleur noisette.

L'unique héritière du domaine des Hautbois grandit tant bien que mal, un demi-sourire aux lèvres et le cœur mal accroché, jusqu'au jour où Cybèle disparut. La petite avait alors dix ans. Un âge difficile pour les enfants normaux, mais ô combien pénible pour les petites âmes en peine ! Cybèle quitta sa famille sans préavis et, pour une raison connue de lui seul, le père d'Amélia ne jugea pas utile d'expliquer à sa fille les motifs de ce départ.

Le riche Théodore combla rapidement le vide à ses côtés en la personne d'une certaine Myrtille, la meilleure amie de sa femme déloyale. Amélia en voulut à son père de prendre une concubine plutôt que de partir à la recherche de Cybèle. Ce n'est que bien des années plus tard qu'elle apprit que sa mère les avait quittés pour suivre un homme encore plus riche et plus puissant que Théodore.

Le départ de Cybèle eut un effet dévastateur sur Amélia qui se referma telle une fleur dans le désert. Elle refusait désormais de jouer à l'extérieur avec Angelo. Si ce dernier voulait profiter de la compagnie de sa cousine, il devait lui rendre visite dans sa chambre. Amélia cessa de jouer de la harpe, de danser, de courir et de rire, tandis que son père était trop occupé avec Myrtille pour s'inquiéter de l'état de sa fille.

L'appétit et le goût de vivre l'ayant abandonnée en même temps que sa mère, Amélia mangeait dorénavant du bout des lèvres de petites quantités de nourriture à peine suffisantes pour sustenter un oisillon. Angelo déployait d'énormes efforts d'imagination pour tenter d'apporter à sa cousine un peu de joie, pour susciter une étincelle dans son regard. Il écrivit des poèmes louant son incomparable beauté, poèmes qu'elle déchirait en lui disant de cesser d'écrire des sornettes.

Un jour qu'il se trouvait dans la chambre d'Amélia, Angelo remarqua que celle-ci détournait le regard en passant devant sa psyché. À un âge où la coquetterie gagnait généralement les jeunes filles, elle ne jetait même plus un rapide coup d'œil dans la glace, ne serait-ce que pour s'assurer que ses cheveux étaient en ordre ou que l'ourlet de sa robe n'était pas défait.

— Pourquoi est-ce que tu ne te regardes plus dans le miroir ? demanda Angelo.

— Parce qu'il n'y a rien à voir, répondit Amélia.

— Qu'est-ce que tu racontes ? Moi, j'aime bien te regarder.

— Si tu as du temps à perdre, c'est ton affaire.

— Comment peux-tu dire une telle chose ?

— Parce que c'est ainsi, voilà tout. Et si tu n'arrêtes pas de me poser des questions stupides, je vais devoir te demander de partir.

Angelo s'était tu, préférant garder le silence plutôt que d'être privé de la présence de sa cousine.

Au lendemain de son quinzième anniversaire, un autre malheur frappa Amélia. Théodore fut emporté par un arrêt cardiaque pendant son sommeil. Ce jour-là, Amélia couvrit sa psyché d'un drap de satin bleu, la couleur préférée de son père.

Dès qu'elle eut mis en terre son compagnon, Myrtille quitta le domaine des Hautbois pour aller vivre chez son fils à l'autre bout du pays. Ce même jour, Amélia refusa d'ouvrir la porte de sa chambre à Angelo. Il en eut le cœur brisé et jura de revenir le lendemain et le surlendemain, et aussi longtemps qu'il faudrait pour qu'elle lui ouvre sa porte de nouveau.

La jeune héritière se retrouva du jour au lendemain avec de lourdes responsabilités. Il lui fallait, entre autres, gérer les finances, négocier avec les fournisseurs, coordonner le travail des vendangeurs, bref, voir à tout.

La gérance du domaine se révéla au-dessus de ses forces. Deux semaines seulement après la mort de son père, dans un accès de détresse, Amélia congédia tous les ouvriers et les serviteurs du domaine, ne gardant à son service qu'Hilda, sa vieille nurse, car celle-ci n'avait nulle part où aller.

— Hilda, tu peux rester au domaine si tu le veux, mais à compter de maintenant, tu logeras au rez-de-chaussée, annonça Amélia.

— Pourquoi, Mademoiselle? C'est bien plus pratique si je reste dans la chambre voisine de la vôtre.

— Ne discute pas! Tu dormiras au rez-de-chaussée, voilà tout.

— Si vous insistez, Mademoiselle, dit la nurse en baissant les yeux.

— Et dorénavant je t'interdis d'entrer dans ma chambre.

— Mais Mademoiselle!

— Je t'en prie, Hilda, ne discute pas.

— Bien, Mademoiselle. N'empêche que ça me crève le cœur de vous voir aller.

— Que veux-tu dire?

—Vous vous transformez en ermite. Ce n'est pas normal pour une jeune fille comme vous qui a tout pour être heureuse.

— Moi? Moi, j'ai tout pour être heureuse? Ma pauvre Hilda…

— Bon, oubliez ce que je viens de dire, mais soyez assurée d'une chose : vous ne m'empêcherez jamais de continuer de veiller sur vous.

— C'est ça, ma bonne Hilda, continue de veiller sur moi, murmura Amélia.

Sur ce, Amélia se retira dans sa chambre pour ne plus en sortir.

2

LES CONSEILS DE MÉDA

Après plusieurs mois de tentatives in-
fructueuses pour sortir sa cousine de sa torpeur, Angelo fit un rêve déterminant.
C'était lors d'une chaude nuit d'orage au
cours de laquelle il avait eu du mal à trouver le sommeil. Non pas à cause de la
foudre qui se déchaînait, mais parce qu'il se
faisait du mauvais sang pour Amélia. Il
l'imaginait, là-bas dans sa demeure, seule
dans sa chambre, tremblant sous les coups
de tonnerre et sans personne à ses côtés
pour la réconforter.

Dans son rêve, Angelo marchait seul
dans la forêt quand, au détour d'un sentier,
il aperçut un très, très vieil homme assis sur
un rocher. Le vieillard en question portait
une barbe aussi blanche et aussi longue que
sa chevelure. Son visage était creusé de tant
de sillons et de crevasses qu'on aurait pu y
parcourir le monde entier du bout des doigts.
Il portait une longue tunique de lin blanc
recouverte d'une pèlerine d'un jaune enso-
leillé qui illuminait son vieux visage. Ses

mains osseuses reposaient sur le pommeau d'une canne de bois noueux. Son apparence aurait pu en effrayer plusieurs, mais il exhalait de lui une force tranquille qui attira Angelo de façon irrésistible.

— Bonjour, vieil homme, dit Angelo en s'approchant.

— Bonjour, Angelo, répondit le patriarche d'une grosse voix qui contrastait avec sa frêle allure.

— Vous me connaissez ?

— Je connais tout et tout le monde.

— Mais je ne vous ai jamais vu. Qui êtes-vous ?

— Je suis Méda, le Maître du grand chêne.

— Le Maître du grand chêne ?

— C'est cela. Je gouverne l'ordre du grand chêne.

— Et qu'est-ce que l'ordre du grand chêne ? demanda Angelo.

— Il s'agit d'un ordre qui vient en aide aux malheureux de ce monde.

À ces mots apparut un aigle royal qui se posa sur l'épaule de Méda. De ses yeux perçants, l'oiseau toisa Angelo qui eut un mouvement de recul.

— Tu n'as rien à craindre de mon compagnon, dit le vieil homme.

— Que faites-vous dans cette forêt? demanda Angelo.

— Je t'attendais.

— Moi? Mais pourquoi?

— Pour te confier une mission.

— À quel sujet?

— Au sujet de ta cousine, Amélia.

— Vous connaissez Amélia? s'écria Angelo avec excitation.

— Ne t'ai-je pas dit que je connais tout le monde?

— Alors, vous savez qu'elle va très mal.

— Oui, je le sais. C'est pour cela que je suis venu te voir. Tu es la seule personne qui puisse l'aider.

— Moi? Mais comment, Maître? Dites-moi comment et je le ferai!

— Oui, tu le feras. Mais tu devras être patient.

— Patient? Patient comment?

— *Très* patient. Amélia s'est enfoncée dans une nuit si noire qu'il lui faudra beaucoup de temps pour renaître au jour.

— Vous savez combien je l'aime.

— Oui, je le sais. C'est pour cela que tu peux l'aider.

— Alors, dites-moi comment! Je…

L'aigle glatit et battit des ailes. Angelo se tut.

— Ta cousine a besoin de beaucoup d'amour et de compassion. Comme tu le sais, elle a été très éprouvée. Son cœur est si meurtri qu'elle s'imagine qu'il devrait cesser de battre.

Une larme roula sur la joue d'Angelo.

— Demain, tu iras chez elle et tu planteras un arbre devant sa fenêtre.

— Planter un arbre?

— Oui. Prends ceci.

Angelo tendit la main et Méda lui confia un objet.

— Qu'est-ce que c'est?

— Il s'agit d'un gland de chêne.

— Un gland de chêne? répéta Angelo, l'air déçu. Et vous voulez que je le plante devant la fenêtre d'Amélia?

Méda fit signe que oui.

— Il faudra bien une éternité pour que ce gland devienne un arbre digne de ce nom.

— Cher Angelo, sache qu'il faut respecter l'ordre des choses et du temps.

Méda s'exprima avec un tel aplomb qu'Angelo s'en trouva aussi effrayé que rassuré. Il décida de faire confiance au vieux sage.

— Et une fois le gland planté, que dois-je faire?

— Tu devras en prendre soin tout en continuant de veiller sur ta cousine jusqu'au jour où elle t'ouvrira sa porte.

— Quand cela arrivera-t-il ?

Méda ne répondit pas.

— Expliquez-moi en quoi le fait de planter ce gland pourrait aider Amélia.

— Tous les secrets du monde sont dans le feuillage du grand chêne. C'est l'arbre de vie qui apportera à ta cousine la guérison. Sa vie est entre tes mains.

Sur ce, l'aigle prit son envol et Méda disparut dans un coup de tonnerre. Angelo se mit à courir dans la forêt.

Il se réveilla bientôt, en sueur et hors d'haleine. Le cœur battant la chamade, il regarda par la fenêtre et vit des zébrures d'un blanc bleuté traverser le ciel.

— Méda !

Sa main droite était crispée. Il l'ouvrit et y découvrit le gland de chêne reçu en rêve.

Angelo resta éveillé jusqu'à l'aube, ressassant son rêve, tel un enfant émerveillé et incrédule. Une seule chose comptait désormais pour lui : planter un chêne sous la fenêtre d'Amélia.

Dès que la lumière du jour eut chassé l'orage, il partit en direction du domaine des Hautbois. Arrivé à destination, il s'agenouilla dans la cour à quelques mètres de la fenêtre d'Amélia. Une vapeur légère émanait du sol. Il creusa de ses mains nues la terre noire gorgée d'eau de pluie et y enfouit le gland de chêne.

3

LE CHÊNE

Amour, compassion et patience, voilà ce que Méda avait prescrit en songe à Angelo. Le jeune homme disposait d'amplement d'amour et de compassion, mais sa patience était limitée. Chaque jour, il se rendait chez Amélia et, chaque jour, il se butait à une porte close.

Le chêne mettait un temps infini à pousser et, un matin, Angelo s'impatienta à tel point qu'il lança des pierres à la fenêtre de sa cousine. Il cassa tous les carreaux sans que celle-ci se manifeste. Alertée par le bruit, Hilda était accourue.

— Que fais-tu, Angelo ? s'écria-t-elle.

— Je n'en peux plus d'attendre. Je deviens fou. Pourquoi ne se montre-t-elle pas ? Au moins une fois, juste une petite fois ? cria Angelo en pleurant de rage.

— Mon pauvre enfant, dit Hilda en le serrant contre son cœur. Moi aussi, je suis folle d'inquiétude, mais je continue de veiller sur elle.

— Est-ce qu'elle mange, au moins ?

— Parfois, mais si peu que je me demande comment elle peut tenir, répondit Hilda.

— Pauvre Amélia. Qu'est-ce qu'elle a donc?

— Quelque chose qui nous dépasse, déclara Hilda. Continue de l'aimer et, tôt ou tard, elle te reviendra. Prends patience, Angelo.

Prendre patience… Méda l'avait pourtant prévenu qu'il lui en faudrait beaucoup, de patience. C'est ce jour-là qu'Angelo eut l'idée de s'adonner à la rêverie. Pourquoi n'y avait-il pas pensé plus tôt? Tenir son esprit occupé en imaginant de beaux scénarios lui apporterait une certaine sérénité devant la lenteur prodigieuse du grand ordre des choses et du temps.

À compter de ce jour, chaque matin, Angelo se rendit dans la cour du domaine pour rêvasser. Assis devant la petite pousse de chêne qui se dressait sous la fenêtre de la chambre d'Amélia, il fermait les yeux. Il entamait alors une heure de rêverie délicieuse dans laquelle il s'imaginait Amélia, radieuse et souriante, dansant autour d'un arbre majestueux, son chêne. Parfois, il se voyait valsant avec elle dans le jardin fleuri du domaine, au milieu de gens qui souriaient et tapaient des mains. Immanquablement, il sortait apaisé de ses songeries, le cœur plein d'espoir. Angelo prenait une joie authentique à laisser voguer son imagination devant l'arbrisseau. Ainsi, les jours, les mois et les années passèrent sans que jamais sa réserve de patience s'épuise.

En plus de rêvasser, Angelo prenait soin de son chêne, l'émondait, en taillait les branches et éloignait les insectes nuisibles. Il s'occupait également du potager d'Hilda qui, en retour, le gavait de ses délicieuses soupes. Ainsi, pendant près de deux décennies, jamais Amélia ne vit Angelo rêvasser ou travailler, car jamais elle n'ouvrit les rideaux, ni la fenêtre de sa chambre.

Un matin comme tous les autres, alors qu'Angelo rêvassait devant le chêne qui avait atteint une taille respectable, un oiseau vint se poser sur sa plus haute branche et se mit à chanter. Le regard d'Angelo s'embua tant il était fier de voir son arbre accueillir un oiseau.

4

UNE PERCÉE DANS LE NOIR

Pour Amélia, recluse dans la pénombre, la vie était sans relief. La beauté et la laideur n'existaient plus. Le monde se réduisait à un désert envers lequel elle ne ressentait aucun attachement. Ses jours s'écoulaient dans une monotonie ininterrompue jusqu'au matin où une brise souleva les rideaux de sa chambre. Le rayon de soleil qui s'immisça dans la pièce heurta ses yeux tel un violent poison.

— Aïe ! Rideau, ferme-toi ! Lumière, disparais ! ordonna-t-elle du fond de son lit.

Mais la brise insista et la lourde étoffe capitula sous la force du vent et du soleil réunis. Les rideaux volèrent de plus en plus haut dans la pièce et finirent par s'ouvrir complètement.

Amélia crut que cette lumière voulait la tuer, l'assaillant encore et encore, transperçant ses rétines et se frayant un chemin tout droit jusqu'à ses entrailles.

— J'ai mal ! J'ai mal ! gémit-elle en plaquant ses mains contre ses yeux.

Un moment passa, la douleur s'atténua et Amélia sentit son cœur se calmer. À chaque battement, une douce chaleur se répandait dans son corps. Des picotements envahirent ses mains et se propagèrent jusqu'au bout de ses doigts. Savourant cette sensation depuis longtemps oubliée, elle entendit le chant d'un oiseau. Malgré les années, malgré le fait qu'elle eût oublié l'existence même des oiseaux, son oreille avait gardé l'empreinte d'un chant mélodieux et celui qu'elle entendait ne correspondait en rien à son souvenir.

Tout doucement, elle écarta les doigts, ouvrit les yeux, se leva et fit un pas vers la fenêtre. Dès qu'elle bougea, la poussière se mit à danser autour d'elle. À croire que la moindre petite saleté se réjouissait de voir le soleil. La lumière donnait forme à ce qui entourait Amélia. Balayant sa chambre du regard, elle aperçut sa harpe abandonnée dans un coin. Puis, elle vit, dans le coin opposé, un cahier à la couverture racornie posé sur une petite table.

— Mon journal !

Lentement, pour ne pas soulever la poussière, elle se dirigea vers la table. Après une longue hésitation, elle prit son journal et le serra contre son cœur. Les yeux clos et le souffle court, elle revit sa mère, son père et Angelo. Elle retrouva la fillette qui jouait dans la cour du domaine sous le regard ébloui de ses parents. Elle se remémora aussi la petite fille abandonnée par sa mère qui noircissait du papier pour tenter de combler le vide, puis la jeune fille endeuillée pleurant sur ces pages qui craquaient maintenant sous ses doigts, ces pages collées par les larmes versées il y avait si longtemps. Enfin, elle revit… la grisaille, les rideaux qu'elle avait cessé d'ouvrir, la noirceur qui s'était installée, d'abord en elle, puis autour d'elle afin d'être au diapason. Au diapason du désespoir.

Amélia posa son cahier à souvenirs sur la table et remarqua sa psyché recouverte d'un drap grisâtre. «Il était bleu quand je l'y ai mis», se rappela-t-elle. Elle fit quelques pas lents vers la psyché qui n'avait rien réfléchi depuis des lustres. Elle tendit la main et, d'un grand geste, retira le drap. Encore une fois, la poussière fit la fête à la lumière.

Mais la fête se termina abruptement quand Amélia aperçut une inconnue dans son miroir. Elle toucha son visage. L'inconnue fit de même. Le vêtement élimé que portait l'étrangère lui rappelait vaguement une des robes que lui avait offertes son père.

C'est à ce moment qu'elle remarqua, pour la première fois, l'arbre imposant qui se dressait devant sa fenêtre et dont le reflet emplissait le miroir. Elle fut si saisie par sa taille et sa beauté qu'elle en oublia le spectre qui l'avait effrayée une seconde auparavant. Elle se tourna et alla vers la fenêtre. Le talon de sa chaussure éculée pulvérisa un éclat de verre. Elle se souvint alors que, bien des années auparavant, Angelo avait cassé toutes les vitres de sa fenêtre.

Les yeux maintenant grands ouverts, Amélia observa le chêne dont le feuillage semblait frissonner sous la brise matinale. Elle tenta d'ouvrir la fenêtre aux carreaux cassés, mais celle-ci résista à sa faible tentative. Elle y mit davantage d'ardeur et le bois finit par céder en grinçant de déplaisir. Après une brève hésitation, Amélia s'avança et regarda à l'extérieur, comme elle le faisait aux jours moins sombres de sa vie.

D'où diable sortait donc cet arbre ? Elle eut beau fouiller sa mémoire, elle n'en trouva aucun souvenir. Il semblait avoir au moins dix fois son âge, pourtant, elle ne l'avait jamais vu. Soudain, un coup de vent souleva ses cheveux et une longue mèche alla s'accrocher à une branche mère.

— Aïe !

Amélia tira à deux mains sur ses cheveux, mais ne parvint qu'à les emmêler davantage dans la branche.

— Redonne-moi mes cheveux ! ordonna-t-elle à l'arbre-voleur.

Le faible volume de sa voix la surprit.

— Redonne-moi mes cheveux ! reprit-elle en tirant de plus belle.

C'est alors qu'elle vit un oiseau de grande taille, au plumage noir et blanc, doté d'une très longue queue étagée d'un vert iridescent. Elle reconnut tout de suite la pie, oiseau détesté par son père parce qu'il pillait ses récoltes.

— Tu as un problème ? demanda la pie.

— Quoi ?

— Tu as un problème ?

— Une pie qui parle…

— Bien sûr que je parle. Ne qualifiez-vous pas de « pies » ces femmes qui parlent trop ?

— Oui, mais… Je rêve ou quoi ?

— D'où crois-tu que vienne cette expression ?

— Je ne sais pas… Aïe !

Un brusque coup de vent avait fait bouger la branche à laquelle les cheveux d'Amélia étaient accrochés.

— Ne crie pas comme ça, je vais t'aider.

La pie sauta sur la branche mère et, de son gros bec, libéra la mèche de cheveux.

— Merci, bredouilla Amélia qui se sentait ridicule de discuter avec un oiseau.

— Il n'y a pas de quoi. Tu as quelque chose à manger pour moi?

— Non. Va donc piller nos terres comme tu sais si bien le faire.

— Je le voudrais bien, mais il n'y a rien à manger sur tes terres.

Amélia porta son regard au loin, là où poussaient jadis la vigne et la lavande. Autrefois, le vert et le violet se côtoyaient au pied des collines. Aujourd'hui, elle ne voyait plus que désolation.

— Tu devrais te mettre au travail, dit la pie. Comme ça, on aurait de quoi manger.

— Si tu crois que je vais cultiver la terre pour que toi et tes semblables veniez ruiner mes récoltes, tu peux toujours courir.

— Je ne cours pas, je vole.

— Tu peux toujours voler jusqu'au bout du monde, lança Amélia en refermant la fenêtre. Je ne suis pas là pour te nourrir!

— Tu vas encore t'enfermer et nous laisser mourir de faim?

— Si je veux m'enfermer, c'est mon affaire. Mais pour ce qui est de mourir de faim, c'est ton affaire.

— Oh, que non! Ces terres t'appartiennent et c'est ta responsabilité de les cultiver.

— Je ne dois rien à personne!

— Si.

— Non!

— Si.

— Va-t'en, insignifiante pie bavarde!

— Tu n'es pas gentille.

— Pourquoi serais-je gentille avec toi?

— J'ai libéré tes cheveux de la branche.

— Et je t'ai remerciée.

— Du bout des lèvres. Le cœur n'y était pas.

— Qu'en sais-tu?

— Je le sais, voilà tout.

— Tu m'agaces à la fin, Madame-la-Pie-
Savante.

— Prends garde à toi.

Amélia resta muette devant cet avertis-
sement. Quand elle eut recouvré la voix, elle
demanda:

— Qui es-tu?

— Tu le vois bien, je suis une pauvre pie
affamée.

— Ne te joue pas de moi. Qui es-tu?

— Je reviendrai demain, déclara la pie
en s'envolant.

Amélia suivit l'oiseau du regard jusqu'au détour de la montagne de roc située
derrière sa demeure.

Elle referma la fenêtre, mais laissa les rideaux ouverts. Elle fit un tour d'horizon de la pièce. « Quel jour sommes-nous ? » se demanda-t-elle. « Quel mois ? Quelle année ? Ah ! Et puis, ça n'a aucune importance. » Pour la première fois, elle remarqua l'odeur fétide qui flottait dans la pièce. Un tas de cendres gisait dans l'âtre éteint depuis le début de son enfermement. La cheminée devait être bouchée, depuis le temps. La grosse clé reposait toujours dans la serrure de la porte. Elle eut une pensée pour Angelo qui avait passé d'innombrables heures devant cette porte à essayer de la lui faire ouvrir. Que de temps perdu ! Elle ne pouvait laisser entrer personne dans cette pièce qui pouvait tout juste les contenir, elle et sa tristesse. Tristesse transformée en désespoir, un désespoir profond qui l'empêchait presque de respirer. Tout à coup, elle entendit du bruit dans l'escalier. Elle reconnut le pas ferme d'Angelo.

— Amélia, je t'apporte de la soupe qu'Hilda a préparée pour toi.

Comme d'habitude, un monologue s'ensuivit. Amélia ne se donnait même pas la peine d'écouter ce que son cousin avait à lui dire. Certes, elle avait ouvert sa fenêtre, mais elle ne laisserait entrer personne dans sa chambre. Après le départ d'Angelo, Amélia entrouvrit la porte, prit le bol de soupe et le bout de pain posés par terre, et la referma aussitôt.

La soupe aux champignons sauvages préparée par sa vieille nurse lui brûla la bouche même si elle avait reposé de longues minutes dans le corridor. Le pain coupailla ses gencives fragiles. Après quelques douloureuses bouchées, Amélia le mit de côté. Le goût du sang dans sa bouche lui donnait la nausée.

Elle décida d'aller se coucher et, au passage, elle saisit sa harpe non pas pour en jouer, mais pour la dépoussiérer. À l'aide de son couvre-lit, elle en frotta doucement la structure en bois d'érable, puis entreprit d'en essuyer les cordes, une à une, avec un mouchoir. Elle accomplissait sa besogne en silence quand son index s'empêtra dans une des cordes. Un son étincelant jaillit de l'instrument et un courant déchirant traversa le corps d'Amélia. Elle jeta la harpe par terre dans un fracas de notes dissonantes. Elle ne voulait plus entendre cet instrument dont les harmonies lui arracheraient des larmes qu'elle n'avait pas le luxe d'épandre. « Plus jamais ! » se promit-elle en s'enfouissant sous les couvertures.

Elle ferma les yeux bien fort pour ne laisser aucune place aux larmes ou aux souvenirs.

5

LE RÊVE

Le lendemain matin, à l'aube, un bruit désagréable tira Amélia de son sommeil. En ouvrant les yeux, elle vit que le plâtre du plafond de sa chambre s'effritait par endroits. En fait, la pièce tout entière tombait en ruine. Elle se demanda s'il en allait de même pour le reste de sa demeure.

Le bruit désagréable se répéta. Amélia bondit hors du lit, mais son lever trop brusque provoqua un étourdissement. Une fois son équilibre retrouvé, elle se dirigea vers la fenêtre. Ayant omis de tirer les rideaux la veille, elle constata immédiatement que la pie, de retour tel que promis, était responsable de tout ce boucan.

— Tais-toi! Tu chantes mal! lui jeta Amélia.

— Chanter mal n'est pas une raison pour se taire.

Et la pie se remit à jacasser de plus belle.

— Tais-toi, je te dis! Tu m'écorches les oreilles.

— Vaut mieux m'entendre que d'être sourde.

— Je ne crois pas, non.

— Tu étais heureuse avant ce matin ? demanda la pie.

— Qui te dit que je suis heureuse ?

— Au moins, tu m'entends. Avant, tu étais sourde.

— Qu'est-ce que tu racontes ?

— Je viens chanter à ta fenêtre depuis que cet arbre y a poussé et ce n'est que depuis hier que tu m'entends.

En effet, ce n'était que la seconde fois qu'Amélia remarquait le jacassement de la pie.

— Le soleil aussi se pointait tous les jours, mais tu ne le voyais pas.

— Et cet arbre, il est là depuis long-temps ? interrogea Amélia.

— Demande à Angelo, c'est lui qui l'a planté.

— Mon cousin a planté cet arbre ? Mais pourquoi ?

— Demande-le-lui.

— Je ne lui parle plus.

— Pourtant, tu l'aimais bien.

— Peut-être, mais plus maintenant.

— Pourquoi ?

— Mêle-toi de ce qui te regarde !

— Mais tu me regardes.

— Cesse de jouer à la plus fine et va-t'en !

— Je reviendrai.

— Ne te donne pas cette peine.

— Voyons, ça me fait plaisir, lança la pie en prenant son envol.

Amélia tira les rideaux à moitié, puis se ravisa et les ferma complètement, au cas où la jacasseuse déciderait de revenir. Elle se remit au lit et resta longtemps les yeux fixés sur le plafond délabré avant de retrouver le sommeil où un rêve étonnant l'attendait.

Dans ce rêve, Amélia se retrouva accroupie au milieu d'un champ couvert de fleurs. Il y avait des marguerites et des lys, mais surtout des glaïeuls, beaucoup de glaïeuls, robustes et colorés. Au milieu de toute cette végétation, elle se sentit à la fois elle-même et différente. Une brise chaude jouait dans son abondante chevelure qui se soulevait dans une succession de boucles blondes.

Amélia se prélassait, une impression de liberté germant en elle, quand un petit papillon multicolore vint se poser sur son bras. Elle l'observa attentivement avec la vague impression qu'il l'observait également. Il déploya ses ailes pour bien se gorger des rayons du soleil. Ses antennes se mouvaient de haut en bas, tel un salut révérencieux adressé à Amélia. Puis, un autre papillon apparut. Plus gros que le premier, ses ailes comportaient toutes les nuances de bleu. Il tourna autour d'Amélia qui l'invita à se poser sur sa main, mais le lépidoptère poursuivit sa danse.

Deux autres papillons aux ailes azurées firent leur apparition. Émue par tant de beauté, Amélia ne bougea pas un cil de crainte que ses visiteurs ne s'éloignent. Une dizaine de papillons volaient maintenant autour d'elle. Puis, soudain, le champ sembla compter autant de papillons que de fleurs. Inspirée par ces formes ondoyantes, Amélia se leva et se mit à tournoyer sur elle-même avec les papillons. Tous dansaient sur une musique au rythme de leur cœur quand tout à coup elle prit conscience de sa métamorphose : elle ne dansait plus, elle volait comme les papillons !

Dotée d'ailes bleu roi aux pointes finement découpées, Amélia volait en répétant : «Je suis un papillon ! Je suis un papillon !» Une joie indicible l'envahit. Ivre de légèreté, elle imita ses compagnons et se posa sur une fleur, puis sur une autre. Ayant acquis de l'assurance, elle papillonna dans la campagne et osa même goûter au nectar euphorisant des fleurs.

Mais l'euphorie fut de courte durée et le retour sur terre, plutôt brutal. En s'éveillant, elle fut de nouveau confrontée à la lourdeur de son corps et de son cœur dans cette chambre sombre où elle s'était cloîtrée. Des sanglots secouèrent son corps émacié. Le déchirement de devoir quitter son rêve la rendit plus triste que l'abandon de sa mère, plus désespérée encore que le décès de son père. Cette fois-ci, elle pleurait sa propre mort car, au sortir de son rêve, Amélia se trouva en deuil de son double métamorphosé, du papillon qu'elle avait été. La douleur était si aiguë qu'elle résolut de ne plus dormir afin d'éviter de refaire de tels rêves.

Dorénavant, Amélia resterait éveillée. Elle ne s'abandonnerait plus au sommeil qui lui faisait miroiter le bonheur pour mieux la replonger dans sa souffrance. Adieu soleil, fleurs et papillons.

6

LA VISITE DU RENARD

Forte de sa nouvelle résolution, Amélia passa la nuit suivante éveillée à égrainer les minutes comme d'autres un chapelet. Pendant cette première nuit de veille, elle entendit du bruit dans l'arbre, mais résista à l'envie de regarder par la fenêtre dont les rideaux étaient tirés. C'était là une autre de ses résolutions : ne plus ouvrir les rideaux.

Au matin, la pie revint et durant tout le jour elle éprouva les nerfs d'Amélia avec son jacassement. La recluse eut peine à s'empêcher d'ouvrir la fenêtre pour lui tordre le cou. Entre la pie qui s'égosillait et Angelo qui faisait le pied de grue devant la porte de sa chambre, Amélia se sentait assiégée. Son unique activité consistait à avaler quelques bouchées de la nourriture préparée par Hilda. Non pas qu'elle eût faim, mais simplement pour tuer le temps.

Au milieu de sa troisième nuit de veille, elle entendit de nouveau du bruit à l'extérieur. Elle crut qu'Angelo grimpait dans l'arbre pour atteindre sa fenêtre. « C'est donc pour cela qu'il a planté cet arbre. Ah, il se croit rusé, le cousin», se dit-elle. Amélia s'approcha de la fenêtre et entrouvrit les rideaux pour surprendre Angelo. Le chêne scintillait dans la lumière bleutée de la nuit. Elle scruta le feuillage à la recherche de son cousin.

— Bonsoir, Amélia.

Elle sursauta au son de la voix inconnue.

— Qui est là?

Elle posa la question tout en fouillant l'arbre du regard lorsqu'elle aperçut une paire d'yeux perçants tournés vers elle.

— Ah!

«Un autre animal parlant, se dit-elle. Je perds la raison!»

S'agissait-il d'un loup affamé ou d'un chien enragé? Elle referma promptement les rideaux.

— Ne crains rien, dit la bête. Je suis un ami, le renard gris.

— Je n'ai aucun ami et aucun désir d'en avoir.

— Cesse de te cacher, Amélia. Tôt ou tard, tu devras bien sortir de ta tanière.

— Jamais!

— Tu sais bien que oui.

— Non!

— Tu serais donc têtue en plus d'être recluse?

— Je ne suis ni têtue ni recluse! Je vis comme je l'entends et…

— Amélia, n'aie pas peur, l'interrompit le renard d'une voix douce et grave.

— Je n'ai pas peur.

— Bien sûr que non. C'est pour cela que tu t'enfermes dans ta forteresse.

— Je n'ai pas peur, je te dis!

— Ouvre ta fenêtre, alors, et viens me parler, si tu en as le courage.

— Je n'ai pas besoin d'ouvrir ma fenêtre pour te parler, tu le vois bien. Et puis, je n'ai pas envie de bavarder.

— Si.

— Non.

— Si.

— Tu m'agaces à la fin! Tu es aussi assommant que cette pie. Fiche-moi la paix!

— Je peux bien te laisser seule, mais je sais pertinemment que tu n'es pas en paix. Allez, ouvre ta fenêtre. La nuit est magnifique. La lune s'est faite toute pleine et lumineuse pour toi.

— Menteur!

— Je t'assure.

N'ayant pas vu la lune depuis fort longtemps, Amélia ne put résister à l'invitation du renard. Elle entrouvrit les rideaux de quelques millimètres, pour voir si le corps céleste était aussi rond et brillant que le prétendait son visiteur.

— Vois-tu comme elle est belle ? demanda le renard.

Amélia referma les rideaux.

— Moi aussi, je suis beau. Tu peux me regarder.

— Comme tu es vaniteux !

— Pas du tout. Je suis réaliste. C'est moi la plus belle créature de ton domaine et je le sais, alors pourquoi faire des manières ? Et puis, tu sais, je serais encore plus beau si j'avais quelques poulets à me mettre sous la dent. Qu'attends-tu pour repeupler ton poulailler ?

— Espèce de prétentieux ! Si tu crois que je vais élever des poulets pour que tu les dévores…

— Mais c'est dans l'ordre de la nature. Tu as une responsabilité envers moi et mes semblables puisque ces terres t'appartiennent. Il n'y a plus rien à manger dans ton domaine depuis la mort de ton père.

— Tu n'as qu'à aller vivre ailleurs.

— Ton indifférence à notre sort m'attriste.

Amélia, indifférente au sort des animaux ? Non. C'était pire encore. Elle avait oublié leur existence.

— Je n'y peux rien... Je veux dire, je ne savais pas.

— Maintenant que tu sais, que comptes-tu faire?

Amélia mit un long moment à répondre à la question du renard.

— Rien, finit-elle par dire.

— Comme ton cœur est dur. Cela fait peine à voir. Je connais le mal que tu portes en toi, mais tu n'es pas seule. Je suis là. Et il y a Angelo.

— Je ne veux plus le voir.

— Je sais. Pourtant, il t'aime et tu l'aimais bien, toi aussi, avant.

— À quoi bon aimer si c'est pour se faire arracher le cœur?

— N'aie crainte, Amélia, il repousse. Il est comme cet arbre : bien enraciné.

— Je ne te crois pas, répliqua Amélia, la tête appuyée contre le chambranle de la fenêtre.

— C'est pourtant la vérité. Amélia, il te faut guérir ce cœur meurtri et pour guérir, tu dois pleurer.

— Pleurer? Mais je n'ai fait que ça toute ma vie!

— Fais-moi confiance. Non seulement tu dois pleurer, mais tu dois le faire devant quelqu'un. Je t'offre d'être ce quelqu'un.

— Pour qui te prends-tu ? Tu n'es qu'un voyeur !

À ces mots, elle sentit une brûlure sur sa joue. Elle porta une main à son visage et, d'un doigt tremblant, essuya une larme.

— Va-t'en ! cria-t-elle au renard.

— Je n'insiste pas, car j'ai de mon côté toute la patience du monde.

— Même avec toute la patience de l'univers, tu ne me verras jamais pleurer. Va-t'en !

— Je m'en vais pour ce soir, mais je reviendrai. Tu sais, Amélia, il n'y a aucune honte à pleurer devant un ami. À demain.

Une fois le renard parti, Amélia pleura doucement dans le noir. Comment pourrait-elle se permettre encore de pleurer devant quelqu'un, surtout devant un renard ? « C'est ridicule », se dit-elle en se laissant choir sur le plancher de sa chambre. Elle se ressaisit aussitôt et se dirigea vers son lit qui l'accueillit avec un grincement. Elle tira la couverture tout en se disant que ce n'était guère prudent, qu'elle risquait de s'endormir, mais ses jambes ne la soutenaient plus et sa tête était prête à éclater.

7

LA PERLE

Amélia connut une nuit de sommeil sans rêve. C'est la pie qui la réveilla le matin venu.

— Tchac, tchac, tchac. Tchac, tchac, tchac. Amélia, c'est moi. Ouvre !

— Va-t'en ! Je ne veux pas te voir, ni surtout t'entendre.

— Allez, ouvre Amélia ! J'ai un cadeau pour toi.

— Un cadeau ?

Son dernier cadeau remontait à un mois avant la mort de son père. Pour son anniversaire, Théodore lui avait offert une poupée de porcelaine à son image. Tout y était. Les cheveux blond doré, le nez légèrement retroussé, les lèvres parfaitement dessinées, jusqu'à la profondeur de ses yeux vert émeraude. La ressemblance était parfaite. Il s'agissait d'une pièce unique fabriquée à la main. Malheureusement, Amélia étant trop vieille pour jouer à la poupée, mais trop jeune pour apprécier le travail des artisans, la poupée s'était retrouvée illico dans le placard de sa chambre.

— Allez, Amélia ! Tu te décides à ouvrir ?

Par curiosité ou par faiblesse, Amélia tira les rideaux et la lumière du jour l'assaillit sans ménagement. La pie se tenait sur une branche qui atteignait presque la fenêtre. La lumière franche du matin donnait à son plumage une brillance envoûtante.

— Ce n'est pas trop tôt, dit la pie.

— Cesse de jacasser et dis-moi ce que tu me veux.

— Donne ta main, ordonna l'oiseau avant de prendre quelque chose dans son bec.

Amélia tendit la main en soupirant d'impatience. La pie s'avança et y déposa une petite bille blanche. Amélia ramena la main vers elle et saisit l'offrande entre ses doigts gourds qui l'échappèrent aussitôt. La bille tomba par terre, roula à travers la pièce et disparut sous la porte du placard.

— Qu'est-ce que c'est ? demanda Amélia.

— Une perle.

— Qu'est-ce que tu veux que j'en fasse ?

— À toi de le découvrir.

Et la pie s'envola.

Toute la journée durant, Amélia resta là à contempler l'interstice sous la porte de son placard. Cette porte que pour rien au monde elle n'ouvrirait. Car derrière celle-ci étaient réunis tous les souvenirs d'une vie passée qu'elle avait définitivement enterrée.

8

LE DÉFI DU RENARD

Au soir du même jour, Amélia contemplait toujours la porte de son placard quand elle entendit quelqu'un l'appeler. Elle reconnut la voix du renard. La nuit était tombée à son insu et elle n'avait pas tiré les rideaux.

— Bonsoir, Amélia. As-tu passé une bonne journée?

Sortant de sa torpeur, Amélia fit la moue en apercevant l'animal dont les yeux brillaient dans la nuit.

— Ça alors, quel air tu as, dit le renard. Depuis combien de temps ces jolies lèvres n'ont-elles pas souri?

Amélia ne se donna pas la peine de répondre.

— Depuis que tu as décidé de mourir.

— Je n'ai jamais décidé de mourir!

— Alors, que fais-tu enfermée ainsi?

— Il n'y a pas de place pour moi en ce monde.

— Oui, il y a une place pour toi.

— Va-t'en! dit Amélia.

— Ne sois pas bête avec moi.

— C'est toi qui es bête.

— Parce que je t'aime?

— Tu m'aimes... Psitt! Tu n'es qu'un renard.

— Ne sois pas méprisante.

— Qu'est-ce que tu me veux?

— Je suis venu te souhaiter une bonne nuit.

— Ce n'est pas nécessaire, car je ne dors plus.

— Menteuse.

— C'est vrai. L'autre jour, j'ai fait ce rêve terrible où j'étais dans un champ de fleurs, entourée de papillons. Je me suis mise à voler avec eux et... C'était si beau. J'étais si bien. Je...

— Qu'y a-t-il de si terrible dans ce rêve? Si j'étais toi, il me tarderait de m'endormir pour en faire un autre semblable. Qu'y a-t-il de mal à connaître la joie?

— C'est qu'elle n'existe pas.

— Mais oui, elle existe. Tu l'as vécue dans ton rêve.

— Justement, ce n'était qu'un rêve!

— Ne sous-estime jamais le pouvoir d'un rêve.

— Va-t'en! Je veux être seule.

— Je sais pourquoi tu ne peux pas aller dormir, dit le renard.

— Ah oui ? Pourquoi ?

— Parce que nul ne devrait s'endormir sans avoir vu au moins une personne lui sourire pendant la journée.

— À ce compte-là, je n'aurais pas dormi depuis bien des années.

— C'est pour cela que ton sommeil t'est si pénible.

— Il ne le sera plus. Compte sur moi.

— J'ai quelque chose à te proposer, annonça le renard.

— Je n'ai rien à faire de tes propositions.

— Écoute-moi avant de juger. Demain matin, sors de chez toi et va marcher. Où tu voudras, à la ville ou à la campagne, ça n'a pas d'importance. Va marcher et dès qu'une personne t'aura souri, reviens à la maison te coucher.

— C'est ridicule. Je ne sortirai pas d'ici. Je n'ai besoin de rien. Je ne demande rien. Et surtout, je ne veux voir personne, alors va-t'en. Et ce n'est pas la peine de revenir.

Le renard n'insista pas. Il savait qu'Amélia ne relèverait pas son défi. Pas encore, du moins. Il descendit de l'arbre et disparut dans la plaine, le ventre vide.

9

AU GRAND JOUR

La nuit suivante, le renard revint à la charge en proposant à Amélia un défi encore plus grand, même si elle n'avait pas daigné relever celui de la veille. Cette fois-ci, il l'invita à partir à la recherche de trois choses qui la toucheraient.

— Le but, expliqua-t-il, n'est pas de découvrir des merveilles qui te rendent heureuse, mais simplement d'observer de petits riens qui suscitent chez toi une émotion : joie ou tristesse, paix ou colère, désir ou dégoût. Je ne reviendrai te voir que lorsque tu auras trouvé ces trois choses.

Amélia bouda l'invitation du renard, préférant continuer à tuer le temps à ne rien faire, sans ressentir quoi que ce soit, surtout pas le désir de partir à la recherche de choses qui pourraient la toucher d'une façon ou d'une autre. «Quelle vaine recherche ce serait», se dit-elle en bâillant d'ennui.

Le temps stagnait d'un lever de soleil à l'autre, et ni la pie ni le renard ne revinrent interrompre la monotonie de l'existence d'Amélia. Même Angelo et Hilda se faisaient d'une discrétion remarquable, lui apportant de la nourriture sans mot dire. « J'ai gagné », conclut-elle. « Ils ne viendront plus m'embêter. » Sa solitude enfin reconquise commença toutefois à lui peser au terme d'un automne et d'un hiver passés à grelotter.

Par un matin d'avril, ses jambes engourdies crièrent grâce. Presque contre sa propre volonté, Amélia sortit de sa chambre et s'aventura à l'extérieur. Se rappelant le défi lancé par le renard lors de sa dernière visite, elle se dit que puisque ses jambes manifestaient un tel besoin de bouger, elle pourrait en profiter pour regarder autour d'elle. Qui sait ? Peut-être remarquerait-elle quelque chose de touchant.

Sans plus tarder, elle se mit en marche. Elle vit que le toit de la bergerie s'était affaissé. Le poulailler tombait en ruine. Une odeur de végétation pourrissante flottait au-dessus des terres en friche du domaine des Hautbois. De larges sections du muret de pierres qui le délimitait s'étaient écroulées.

Amélia marcha loin et longtemps. Elle franchit une montagne couverte d'arbres avant d'arriver à une vaste clairière. Elle décida de la contourner plutôt que de la traverser en son centre, en plein soleil. C'est par ce détour qu'elle se retrouva au bord d'une rivière qu'elle longea à contre-courant. Le cours d'eau descendait vers le sud, Amélia remontait vers le nord. Après quelques heures à marcher ainsi, mue par une énergie insoupçonnée, s'arrêtant de temps à autre pour reprendre son souffle, elle aperçut un énorme saule pleureur à une centaine de mètres devant elle.

Amélia admira l'arbre à distance. Du haut de ses vingt mètres, ses rameaux tombaient en cascades telle une chevelure verdoyante. Ses feuilles, qui de loin ressem-blaient à de petits haricots verts, semblaient frémir dans la chaleur du jour. D'un côté, ses branches effleuraient le sol, et de l'autre, la rivière.

Alors qu'elle contemplait le saule, Amélia entendit un léger bruissement. Tout à coup, elle vit bouger la ramure du côté de la rivière et un écureuil apparut. À mesure qu'il avançait, la branche ployait davantage vers le cours d'eau. L'écureuil ralentit le pas et, tout doucement, la branche frôla la sur-face de la rivière. Le petit rongeur s'immo-bilisa et la branche fit de même. C'est alors que l'écureuil, en équilibre à fleur d'eau, approcha son museau du miroir et se mit à boire en faisant de gracieux mouvements de la queue. Ainsi soutenu par le grand arbre, il étancha sa soif tout en jetant des regards rapides aux alentours pour s'assurer qu'aucun prédateur ne l'avait dans sa mire. Amélia demeura totalement immobile et sa présence ne sembla pas gêner le petit buveur.

La beauté de cette scène si simple d'un petit animal se désaltérant en plein centre d'un cours d'eau grâce à la branche d'un saule produisit une chaleur diffuse dans la poitrine d'Amélia. Peut-être même sourit-elle.

Dès que l'écureuil fut remonté dans l'arbre, Amélia éprouva le désir de boire à son tour. Elle se rendit au bord de la rivière, s'agenouilla au pied du saule et but un peu d'eau fraîche. Une fois sa soif étanchée, elle ressentit l'urgence de rentrer chez elle, poussée par un besoin impérieux de raconter ce qu'elle avait vu au renard. Elle se devait de partager ce moment avec celui qui l'avait incitée à sortir de chez elle. Elle courut pendant des heures sur le chemin de sa maison dans laquelle elle s'engouffra. Affamée, épuisée, elle attendit la venue du soir et du renard.

Ainsi, elle resta évcillée toute la nuit dans l'attente de la visite tant espérée. Fiévreuse d'impatience, à la pointe du jour, elle appela le renard à pleins poumons, le corps dangereusement penché par la fenêtre. Ce fut peine perdue.

10

PRISE AU PIÈGE

Au matin, elle se trouvait toujours là avec son histoire à raconter. «Pour une fois que je voulais parler au renard, il n'est pas venu», se dit-elle. C'est alors qu'elle se souvint que le renard ne reviendrait que lorsqu'elle aurait été touchée par trois choses. Il lui en manquait deux. Elle partit aussitôt à leur recherche.

Elle envisagea la possibilité d'aller à la ville, mais résolut de demeurer à la campagne. Elle n'osait pas s'avouer que la ville, avec ses habitants et ses bruits incessants, l'effrayait. À la campagne, elle croyait ne courir aucun danger puisque les animaux qui la peuplaient étaient petits et inoffensifs. C'était sans compter sur les pièges de la nature.

Elle marchait dans l'herbe haute au milieu de sa cour désolée, le regard perdu vers l'horizon, en pensant que la pie avait peut-être raison de dire qu'elle devrait cultiver ses champs. Ses terres abandonnées aux quatre vents ne payaient pas de mine. Une véritable nature morte. Après avoir fait ce constat, Amélia se dirigea vers les collines rocheuses qui délimitaient la frontière ouest de son domaine. La plus imposante de toutes se nommait le cap de l'Ours, baptisée ainsi non pas parce qu'elle abritait la bête redoutable, mais parce que sa forme rappelait celle d'un ours roulé en boule. Amélia n'y était pas retournée depuis le départ de sa mère.

Elle attaqua le rocher sans enthousiasme ni énergie. Hilda n'avait rien déposé devant sa porte la veille. En fait, Amélia ignorait qu'en son absence, Angelo avait découvert Hilda étendue dans le potager, morte, une poignée de chiendent à la main. Tout comme sa mère et son père, sa vieille nurse s'en était allée sans lui dire adieu. Son corps reposait maintenant près du potager. Une croix plantée par Angelo marquait sa modeste sépulture.

La pierre de la montagne, grise et rugueuse, se couvrait par endroits de lichen rafraîchi par la rosée. Amélia en fit voler quelques touffes avec la pointe usée de son soulier. Dans un renfoncement du rocher, elle découvrit de minuscules pensées ayant poussé malgré l'environnement inhospitalier. Elle en arracha une poignée et les

renifla. Déçue du fait qu'elles ne déga-
geaient aucun parfum, elle les jeta par
terre.

Un oiseau de grande taille apparut dans
le ciel et se mit à tournoyer au-dessus
d'Amélia. Elle l'observa un moment, conclut qu'il s'agissait d'un aigle, et poursuivit
sa montée. Elle eut beau regarder au-dessus
d'elle, rien ne la touchait de quelque façon
que ce soit. Ce paysage, jadis familier, ne
l'avait jamais émue de toute façon.

Au fil de son escalade, le ciel se voila
d'une mince couche nuageuse. Amélia venait d'atteindre un petit plateau quand un
lièvre traversa le sentier quelques mètres
devant elle. Elle décida de le suivre. Bifur-
quant vers la droite, elle partit aux trousses
de l'animal. Après quelques cabrioles, le
lièvre s'arrêta une seconde, regarda sa pour-
suivante et se remit à gambader. Amélia le
suivait toujours, accélérant le pas, lorsqu'elle
perdit pied. Son corps fut happé par une cre-
vasse et elle tomba au fond d'un gouffre. La
chute d'une dizaine de mètres aurait pu lui
être fatale. Elle se retrouva évanouie sur le
sol.

En reprenant conscience, au milieu du
jour, elle gémit de douleur. Tous ses mem-
bres semblaient avoir été broyés. Jetant un

regard angoissé autour d'elle, Amélia ne vit qu'une paroi rocheuse lisse, suintant d'humidité. Elle était condamnée à mourir dans ce trou. Le désespoir, tel un ennemi familier, agrippa son cœur. Elle voulut crier, mais n'émit qu'une plainte quasi inaudible.

Prisonnière au fond du gouffre, Amélia pleura les quelques larmes qu'il lui restait. L'absurdité de sa situation lui donnait la nausée. Elle se recroquevilla et enfouit son visage dans ses genoux. Son souffle court emplissait toute la grotte.

C'est du plus profond de son désespoir que jaillit alors en elle un élan inconnu, celui de la vie. Elle voulait vivre! Hélas, il était trop tard. Irrémédiablement prise au piège, elle cria très fort cette fois, sachant bien que personne ne pouvait l'entendre, pas même son fidèle cousin Angelo qui faisait sans doute le guet devant la porte de sa chambre en cette heure fatidique. À cette pensée, elle décida malgré tout d'essayer de s'en sortir. Elle examina froidement sa prison. Le puits naturel dans lequel elle se trouvait formait un entonnoir inversé. Alors que son ouverture était tout juste assez grande pour la laisser passer, le fond était suffisamment vaste pour lui permettre de marcher en rond en maudissant son sort.

Faisant fi de la douleur, Amélia se leva et s'attaqua à la paroi. Elle se rendit vite compte qu'il lui serait impossible de l'escalader. Elle hurla de rage en s'arrachant les ongles contre le mur impénétrable. Les doigts ensanglantés, elle tentait de s'accrocher à la muraille qui la séparait de la vie, mais elle tombait et retombait chaque fois avec plus de lourdeur. Après de multiples tentatives, à bout de force, elle s'affaissa.

Elle se vit morte, le corps défait dans sa robe en lambeaux, tel un pantin désarticulé. C'était ici que sa misérable vie s'achevait. Mourir seule au fond d'un puits. Sa mère l'aurait-elle mise au monde si elle avait connu son tragique destin ? À cette pensée, Amélia revit Cybèle. Malheureusement, ni son visage, si beau, ni son regard, si tendre, ne parvinrent à la réconforter.

— Pourquoi m'as-tu abandonnée, maman ? Pourquoi n'es-tu pas restée avec papa et moi ? Je ne valais donc pas ce sacrifice ? Et toi, papa, pourquoi as-tu pris une concubine au lieu de partir à la recherche de maman ? Décidément, j'étais un embêtement pour tout le monde. Je vais mourir, moi qui n'aurais jamais dû naître.

Voilà les paroles qu'elle murmura au moment de sombrer dans ce qu'elle crut être le sommeil éternel.

La joie d'Amélia d'être de retour dans le champ de glaïeuls, entourée de papillons, fut aussi intense que la détresse ressentie au fond du puits. Son cœur se gonfla d'allégresse au souvenir que dans cette campagne, elle pouvait voler. Sans tarder, elle rejoignit la colonie de papillons. Tous, du plus petit au plus grand, lui firent la fête. Elle appartenait à leur monde, elle qui n'avait jamais appartenu au sien. Dans l'univers des papillons, il n'existait ni détresse, ni souffrance, ni abandon, ni âmes en peine. Un véritable paradis. Amélia décida de ne jamais plus retourner dans l'autre monde.

La sensation d'un contact froid et mouillé sur son visage la ramena brusquement à la réalité. Dans un sursaut, elle ouvrit les yeux et se retrouva dans son gouffre de malheur. Elle en fut mortifiée.

— Nooooooon!!! gémit-elle en refermant les yeux.

Elle sentit de nouveau quelque chose effleurer son visage. Entrouvrant les yeux, elle aperçut un énorme museau qui reniflait le bout de son nez. D'un bond, elle s'éloigna de la chose.

— N'aie pas peur, dit une petite voix.

Amélia reconnut le lièvre.

— Va-t'en, sale bête! C'est toi qui m'as fait tomber dans ce gouffre.

À ces mots, elle se rendit compte que le lièvre se trouvait lui aussi dans une fâcheuse position.

— Bien malin! Tu es revenu sur tes pas pour voir si j'étais morte et ta curiosité t'a fait tomber à ton tour.

— Comme tu as l'esprit tordu, dit le lièvre.

— Tu peux bien parler, espèce de séducteur.

— Séducteur? Moi?

— Oui. Tu t'es trémoussé pour m'appâter et me faire tomber dans ton piège, accusa Amélia en grelottant.

— Tu juges toujours les choses aussi promptement?

— Je ne suis pas dupe.

— Tu n'es peut-être pas dupe, mais tu es dure. Tu te laisses emporter par des jugements hâtifs qui me blessent et qui ne t'honorent pas.

— Qu'est-ce que j'en ai à faire de mon honneur? On va mourir tous les deux, ici, frigorifiés!

— Encore un jugement hâtif.

— Ah oui ? Tu peux me faire sortir de ce trou, peut-être ?

— Certainement.

— Et comment donc ? Tu vas me faire la courte échelle ? Non, non, je sais ! Je vais te lancer dans les airs assez haut pour que tu sortes du trou et tu iras chercher du secours, c'est ça ?

— Ne te moque pas. Je peux t'aider à sortir d'ici.

— Alors, dis-moi comment.

— Je ne suis pas tombé dans ce puits, commença le lièvre.

— Non, un magicien t'y a fait apparaître. Où est-il ? Appelle-le qu'il me fasse sortir d'ici !

— Cesse tes sarcasmes et écoute-moi.

Amélia croisa les bras et ramena ses jambes contre elle.

— Je ne suis pas *tombé* dans ce puits, répéta le lièvre.

Amélia resta silencieuse.

— Je t'aime mieux comme ça, dit le lièvre.

Elle se mordit les lèvres pour ne pas lui répondre qu'elle, elle ne l'aimait pas du tout.

— Je suis entré ici pour venir te chercher.

— Et comment comptes-tu me faire sortir ?

— Par là où je suis entré.

Amélia regarda l'ouverture située plusieurs mètres au-dessus de sa tête.

— Pas par là, corrigea le lièvre.

— Par où, alors ?

— Par ici, dit-il en faisant un signe de la tête vers la gauche.

Amélia regarda dans la direction indiquée, mais ne vit rien. L'animal fit quelques bonds jusqu'à la paroi rocheuse.

— Il y a un tunnel.

Amélia s'approcha et constata qu'il y avait effectivement une ouverture dans le roc. Elle tendit la main pour en mesurer le pourtour. Le passage se révéla extrêmement étroit.

— Tu penses que je pourrais…

— Oui. Allez, viens. Suis-moi !

Le lièvre disparut dans le tunnel et Amélia y pénétra à sa suite. Le trajet fut ardu, car il s'agissait d'une véritable chatière. Amélia rampa, expulsant tout l'air de ses poumons par endroits afin de parvenir à se glisser dans certains passages très serrés. Les écorchures et la douleur n'empêchèrent pas sa progression dans le noir corridor. Au bout de dix pénibles minutes, elle émergea de son tombeau. Le soleil l'accueillit avec éclat, chauffant sa peau transformée en plaie vive. Elle ressentit une joie comparable à celle qui l'emplissait lorsqu'en rêve elle volait avec les papillons. Son soulagement fut tel qu'elle fondit en larmes. Elle serra le lièvre contre son cœur. Sa douceur et sa chaleur la réconfortèrent.

— Pas si fort ! gémit la petite bête.

— Oh, pardon, dit-elle en desserrant son étreinte. Quel est ton nom ?

— Raphaël.

Elle regarda le lièvre droit dans les yeux, si intensément qu'elle perçut la joie qu'il ressentait de l'avoir sauvée.

— Au revoir, Amélia, lança Raphaël en détalant dans la montagne.

— Mais ne pars pas comme ça !

Quelques bonds et son sauveur s'évanouit dans la nature.

11

L'ERRANCE

De retour au domaine à la tombée du jour, Amélia se posta à sa fenêtre. Le corps meurtri, combattant le sommeil, elle attendit la visite du renard. Obsédée par un besoin irrépressible de lui raconter sa mésaventure, elle ne remarqua même pas l'absence d'Hilda. Toute la nuit durant, elle se tint à sa fenêtre, appelant le renard, mais ce dernier ne se montra pas le bout du nez. Elle repensa à l'écureuil buvant l'eau de la rivière, soutenu par la branche du saule, et au moment où elle avait recouvré sa liberté, grâce à Raphaël.

— Il me manque une chose ! s'exclamat-elle aux premières lueurs de l'aurore. Il faut que j'en trouve une autre ! Je dois être touchée par une troisième chose pour que le renard revienne, dit-elle en refermant la fenêtre.

Amélia repartit en direction du cap de l'Ours et suivit le même sentier que la veille. Elle marcha en scrutant tout ce qui l'entourait : le sol, les arbres, le ciel. Son regard capta d'innombrables choses, mais aucune n'éveilla en elle de sentiment particulier.

Au hasard de sa randonnée, elle aperçut, toutes fanées, les pensées qu'elle avait arrachées la veille. Elle eut honte de leur avoir enlevé la vie comme ça, pour rien. Tête basse, elle reprit sa marche. En fin de matinée, elle atteignit la crête de la montagne et décida de faire une pause. Le vent s'était levé et charriait les nuages. Le ciel se faisait menaçant. Le temps de reprendre courage et elle entreprit de descendre l'autre versant, déterminée à trouver quelque chose d'émouvant, car elle voulait absolument revoir le renard.

Amélia erra ainsi toute la journée sans découvrir quoi que ce soit de touchant. Elle aperçut de jolies fleurs, mais aucune ne l'attendrit. Elle vit des paysages agréables, sans être impressionnée. Elle croisa des milliers de fourmis sur le sentier et des chiens de prairie qui déguerpirent à son approche sans créer chez elle d'impression particulière. Amélia rentra chez elle en fin de journée, bredouille et abattue. En arrivant au domaine, elle vit la pie perchée dans le chêne. Elle courut vite jusqu'à sa chambre.

— Sais-tu où est le renard? demanda Amélia, à bout de souffle.

— Bonjour, Amélia, dit la pie.

— Bonjour. Sais-tu où il est ?

— Moi aussi, ça me fait plaisir de te voir.

— Sais-tu où est le renard ?

— Ton manque de considération me blesse.

— Oh ! Qu'est-ce que tu me veux ?

— Je viens prendre de tes nouvelles.

— Ça ne va pas du tout. J'ai besoin de parler au renard.

— Et lui n'a pas besoin de te parler.

— Ne joue pas à la plus fine avec moi ! Dis-moi plutôt où je peux le trouver.

— C'est lui qui te trouvera.

— Va lui dire que j'ai besoin de lui parler.

— Ne t'a-t-il pas dit à quel moment il reviendrait te voir ?

— Oui, mais je n'arrive pas à trouver ce qu'il faut.

— Il te faudra du temps, mais tu y arriveras.

— J'ai passé des jours dehors et il n'y a que deux choses qui m'ont touchée.

— As-tu regardé à l'intérieur ?

— Il n'y a rien de touchant ici.

— En es-tu bien certaine ?

La pie voyait aussi bien qu'Amélia l'état lamentable de sa chambre. La peinture pelait des murs, le plâtre du plafond s'effritait, les fils d'araignée et la poussière recouvraient tout, la pièce était sombre, froide, et il y régnait une odeur de moisi. Quant à Amélia, elle était crasseuse et vêtue de loques.

— Que veux-tu dire ? demanda Amélia.

— Quand on reçoit un cadeau, il est impoli de n'en faire aucun cas, dit la pie en s'envolant.

— Va chercher le renard ! cria Amélia. Dis-lui que j'ai besoin de lui parler. Dis-lui que c'est capital. Dis-lui que ma vie en dépend !

— C'est dans l'ordre des choses qu'il revienne te visiter, mais tu n'es pas encore prête à le revoir, lança la pie du haut du ciel.

Au terme de ce court entretien, Amélia se retrouva encore une fois seule dans sa chambre. Subitement, le poids des années, de la solitude et de la souffrance s'abattit sur elle. Sans même s'en rendre compte, elle se laissa choir sur le plancher. Le renard l'avait abandonnée, tout comme l'espoir ressenti au sortir du gouffre. Qui était-elle ? Quel âge avait-elle ? Que faisait-elle en ce monde ? Il lui aurait été impossible de répondre à l'une ou l'autre de ces questions. Un bruit sourd jaillit de ses entrailles. À quand remontait sa dernière bouchée de nourriture ? Elle aurait été bien en peine de le dire.

Les paroles de la pie lui revinrent en mémoire : « Quand on reçoit un cadeau, il est impoli de n'en faire aucun cas. » De quel cadeau parlait-elle ? Amélia se souvint de la perle qu'elle lui avait offerte, cette perle aussitôt échappée et disparue sous la porte du placard.

Ouvrant les yeux, elle porta son regard sur cette porte derrière laquelle étaient rassemblés les vestiges de sa vie passée. Dans ce réduit se trouvaient réunis les biens ayant appartenu à une petite fille belle et malheureuse. Des vêtements confectionnés par sa mère, des jouets fabriqués par son père, des poèmes écrits par son cousin et des poupées, dont celle à son image, dernier cadeau reçu de son père. Voilà ce que contenait la penderie d'Amélia. En ouvrir la porte pour récupérer la perle lui semblait au-dessus de ses forces.

12

SOUVENIRS RETROUVÉS

Après avoir passé de longues minutes assoupie par terre, Amélia se réveilla, désorientée et courbaturée. Dans le jour qui tombait, elle crut apercevoir des rais de lumière émanant de la clé qui reposait dans la serrure de la porte de son placard. La clé semblait la narguer : « Viens donc faire un tour si tu en as le courage. » Son scintillement la fit cligner des yeux. Amélia contempla la clé, sans bouger, en se remémorant les événements de la veille. « Je suis passée si près de la mort. Qu'est-ce que j'ai à perdre ? » réfléchit-elle. Amélia se leva et éprouva un vertige. Le manque de nourriture se faisait sentir. Mais où était donc Hilda ? D'un pas mal assuré, elle se dirigea vers la penderie.

Lorsqu'au terme de la longue traversée de la pièce, Amélia saisit la clé, elle fut surprise par son invitante chaleur. Elle la tourna lentement vers la droite et la serrure n'offrit aucune résistance. Le rythme des battements de son cœur s'accéléra. Amélia perçut son souffle court et cela la gêna. Elle fit une pause. Lorsqu'elle se sentit enfin prête, elle serra fermement la poignée de laiton et la tourna d'un quart de tour. Son corps tout entier tremblait. À la seconde où elle aurait pu ouvrir la porte, elle s'immobilisa, paralysée par la peur. «Pourquoi retourner en arrière? Pourquoi raviver la douleur?»

Ses questions restèrent sans réponses, mais dès qu'elles furent posées, Amélia ferma les yeux et ouvrit toute grande la porte. Un parfum de cannelle emplit ses narines. Elle ouvrit les yeux et enveloppa du regard toute une panoplie d'objets de matières, de formes et de couleurs différentes. Elle sentit naître un appétit. Pas pour de la nourriture, mais pour ces objets à redécouvrir. Elle vit sur un cintre un costume de fée conçu par sa mère. Comme il était petit! La robe qui jadis allait jusqu'au sol ne lui couvrirait même plus les genoux. Une pièce de tissu jaune imprimé de moutons blancs attira son attention.

— Mon pyjama!

Sa mère avait confectionné ce pyjama pour son cinquième anniversaire de naissance et elle en avait fait un identique pour sa poupée, Peinée. C'est ainsi qu'Amélia avait baptisé sa poupée préférée. Peinée était là, elle aussi, reposant sur une tablette, toute nue, les bras en l'air et les cheveux hirsutes.

— Pauvre Peinée. Viens, je vais te mettre ton pyjama, dit Amélia d'une voix enfantine.

Elle enfila le vêtement sur le corps raide de sa poupée et la coucha dans le landau rouge à capote blanche dans lequel elle l'avait si souvent promenée lorsqu'elle jouait au papa et à la maman avec Angelo. Pensant à son cousin, Amélia se mit à la recherche de la boîte d'étain dans laquelle elle avait conservé quelques poèmes de lui.

— Où est ma boîte de bonbons ? demanda-t-elle en soulevant des piles de vêtements.

Elle se souvint de l'avoir posée sur la tablette tout en haut. En farfouillant à gauche et à droite, elle fit tomber une boîte de carton qui s'ouvrit à ses pieds.

— Oh ! Mon tutu et mes chaussons.

Les chaussons de ballet étaient usés à la corde et le tutu, jadis rose, tirait maintenant sur le brun. Amélia se pencha pour récupérer un de ses chaussons échappé de la boîte et, allongeant le bras, elle vit, sur le plancher, au fond du placard, un bout d'étoffe violette qu'elle reconnut immédiatement.

— Ma poupée Amélia.

Dans un geste lourd d'émotions, elle saisit la poupée et l'examina sous toutes ses coutures. Elle en caressa la chevelure dorée et lissa sa robe à volants.

— Comme elle est jolie !

Puis, elle se pencha de nouveau pour récupérer un petit panier renversé sur le plancher. En soulevant le foulard à carreaux rouges et blancs qui en tapissait l'intérieur, elle découvrit un bâton de cannelle. Quelle odeur alléchante ! En fouillant encore, elle trouva la perle offerte par la pie.

— Que fais-tu là, toi ?

Elle fit rouler la sphère blanche entre ses doigts blessés et la surface satinée de l'objet lui procura une douce sensation. Soudain accablée de fatigue, sa poupée dans une main et sa perle dans l'autre, Amélia décida de s'asseoir. Alors qu'elle se dirigeait vers son lit, son regard se porta vers un coin de la chambre déserté depuis le début de sa réclusion. Dans ce coin se trouvait une berceuse recouverte d'un drap.

Le souvenir des heures passées dans cette chaise à se bercer, d'abord dans les bras de sa mère, puis seule, lui revint en mémoire. Elle s'approcha de la chaise et, d'un grand geste, retira le drap poussiéreux. Elle toussota en s'assoyant avec sa poupée et sa perle dans les mains.

Au début, elle resta immobile, droite et rigide, comme si elle avait désappris à se bercer. Après quelques minutes, Amélia serra sa poupée très fort contre son cœur tout en fermant les yeux. Lentement, de façon quasi imperceptible, son corps se mit à imprimer un mouvement de va-et-vient, retrouvant l'impulsion oubliée depuis l'enfance. Elle fut peu à peu gagnée par un calme bienfaisant. Elle pouvait presque entendre sa mère lui fredonner une berceuse.

De minute en minute, Amélia s'apaisait, mais malgré tout, une sourde résistance subsistait, tel un mur se dressant devant elle. Au rythme du mouvement d'avant en arrière, elle frappait encore et encore sur ce mur invisible. Elle se berça avec de plus en plus d'ardeur, jusqu'à pousser la chaise dangereusement en équilibre sur la pointe de ses pieds courbes. Amélia continua de se bercer comme une forcenée jusqu'à en perdre la notion du temps, de l'espace et de tout le reste. C'est ainsi qu'elle se retrouva propulsée dans un autre monde, un monde duquel elle s'était exclue pendant la majeure partie de sa vie : ses souvenirs d'enfance.

— C'est bien, Amélia.

Elle sursauta en entendant la voix du renard.

— Renard ! Tu es enfin revenu !

— Je t'avais dit que je reviendrais quand tu aurais été touchée par trois choses.

— Mais je n'en ai trouvé que deux et tu es revenu quand même.

— Que deux, dis-tu ? Que fais-tu donc en ce moment ?

— Je me berce, tout simplement.

— Sois honnête. Tu fais beaucoup plus que te bercer.

— Ah oui ?

— Tu te souviens de notre première rencontre ? Je t'ai dit que tu avais besoin de pleurer devant quelqu'un.

— Euh... Oui.

— Eh bien, c'est fait.

— Je n'ai pas pleuré, nia Amélia en portant une main à son visage.

À sa grande surprise, il était poisseux. Elle toucha le corsage de sa robe. Il était mouillé. Elle regarda sa poupée de porcelaine. Elle semblait avoir été surprise par une averse.

— J'ai pleuré ? dit Amélia en regardant le renard étendu sur une branche du chêne.

— Oui, tu as pleuré. Et je t'ai regardée pleurer. Tu étais belle.

— Oh, non, je ne suis pas belle.

— Si, tu es très belle.

— Non, arrête !

— D'accord. Ça viendra. Continue de te bercer, je resterai là à te regarder.

Les yeux bouffis d'Amélia se refermèrent. Le renard veillait sur elle.

13

L'ÉVEIL

Amélia se berça toute la nuit. Le matin venu, elle fut déçue de constater que le renard n'était plus là. La branche sur laquelle il se trouvait la veille accueillait maintenant un splendide papillon vert. Le corps et l'esprit engourdis, Amélia repensa aux événements des derniers jours. Sans comprendre en quoi ceux-ci pourraient influencer sa vie, elle sentait néanmoins que le renard avait eu raison.

Après un long bâillement, elle se leva, déposa sa poupée sur la berceuse et remit la perle dans le panier. Elle s'étira en tournant sur elle-même au son des roucoulements d'un couple de tourterelles tristes. La pièce semblait différente. Comme si un voile s'était soulevé. Son lit lui parut trop petit. La couleur des murs était terne et délavée. Le tapis usé était troué par endroits. Il ne restait plus aucun carreau à la fenêtre. Sa penderie semblait avoir été éventrée. Le lustre était enguirlandé de toiles d'araignées.

Sous la poussière qui recouvrait sa psyché, elle aperçut le reflet du grand chêne. Elle traversa la pièce, saisit le drap bleu, par terre, le secoua et s'en servit pour essuyer le miroir. Le reflet du feuillage du chêne prit une couleur plus vive et Amélia aperçut un coin de ciel tout en haut du miroir ovale. Puis, elle se vit et détourna son regard qu'elle concentra sur le bout de ciel bleu qui lui faisait comme une auréole. Elle continua d'épousseter en prenant garde de ne pas poser les yeux sur son reflet.

— Mais regarde-toi donc !

Dans un sursaut, Amélia se tourna vers la fenêtre. La pie était de retour.

— Bonjour, dit Amélia.

— Cesse d'astiquer et regarde-toi, malheureuse !

— Hein ?

— Tu as respiré trop de poussière. Regarde-toi !

Amélia se retourna lentement vers son miroir.

Son reflet avait de quoi surprendre, mais elle demeura impassible en s'observant de la tête aux pieds. Ce qui la frappa d'abord, ce fut la vue de ses cheveux cotonneux qui touchaient presque le sol. Des mèches d'un blond fadasse pendaient devant son visage bouffi par les larmes, le visage d'une femme inconnue. Puis, elle regarda ses mains amaigries, mais surtout très négligées qui guérissaient lentement de sa mésaventure dans le puits. Quel contraste avec l'époque où elle jouait de la harpe et en prenait un soin jaloux. Elle eut un pincement au cœur en voyant sa robe dont le corsage s'effilochait. Ses larges manches, jadis blanches, étaient grises et toutes déchirées. L'ourlet de sa robe pendait par endroits et de nombreux accrocs laissaient voir ce qui avait été un jupon de couleur chair. Enfin, elle vit ses pieds nus. Elle se souvint d'avoir perdu ses chaussures en sortant du tunnel avec Raphaël. Ses pauvres pieds se trouvaient dans un état voisin de celui de ses mains. Elle détourna le regard.

— Tu te dis que tu n'es pas belle à voir, hein ? lança la pie.

Amélia ne répondit pas.

— Ce n'est rien, tu sais, dit l'oiseau. Un bon bain, un coup de peigne, un nouveau vêtement et tu seras comme neuve.

À ces mots, Amélia éclata en sanglots.

— Il te reste encore des larmes ? Tu m'étonnes.

— Ne me parle pas comme ça, gémit Amélia.

— Désolée. Pourquoi ne vas-tu pas te baigner et te changer ? Tu y verras plus clair après.

— Je ne sais plus comment.

— Mais si, tu sais.

— Non, fit Amélia, les mains plaquées contre son visage.

— Si une rivière peut abreuver un écureuil, elle peut bien te laver.

— La rivière ! s'exclama Amélia en s'arrêtant net de pleurer. La rivière et le saule pleureur !

— Va ! Va te baigner.

Amélia partit aussitôt en direction de la rivière dont le cours l'avait menée vers la première chose l'ayant touchée.

14

LA BAIGNADE

Amélia courut si vite et pendant si longtemps qu'elle tomba d'épuisement en arrivant au pied du grand saule. Quand elle rouvrit les yeux, elle fut transportée de joie en constatant qu'elle se trouvait au milieu d'un champ de bleuets.

— Des bleuets! s'écria-t-elle avant d'en cueillir à pleines mains.

Elle se délecta de ces petits fruits sucrés. Comment avait-elle pu s'en passer pendant si longtemps? Petite fille, elle disparaissait des après-midi entiers dans les sous-bois pour en cueillir de pleins paniers. Sa mère en faisait des tartes, des poudings, des gâteaux, de la confiture et de la gelée. Bref, Amélia avait été engraissée aux bleuets. Mais ce qu'elle aimait par-dessus tout, c'était de s'en réserver une tasse pour elle toute seule. Tout un rituel s'y rattachait. D'abord, elle les lavait soigneusement, les débarrassait des bouts de feuilles, de branches et des fruits pas assez ou trop mûrs. Ensuite, elle se rendait au jardin, à l'écart de tous, et s'assoyait dans l'herbe pour déguster les petites baies une à une en fermant les yeux pour ne rien perdre de leur saveur. C'était son paradis. Elle en oubliait presque son malheur.

L'époque où Amélia mangeait ses bleuets avec retenue était révolue. Étendue à plat ventre, elle les cueillait maintenant à pleines poignées et engouffrait tout d'une bouchée, sans discrimination. Feuilles, fruits verts ou trop mûrs, insectes, tout y passait. Pas le temps pour les cérémonies. L'urgence de goûter aux bleuets surpassait tout dédain possible.

Elle engloutit ainsi tous les fruits qui se trouvaient dans un rayon de dix mètres. Sa bouche, sa langue, ses joues, ses mains étaient imprégnées de la couleur pourpre de la chair du fruit. Quand enfin elle cessa de manger, elle se sentit nauséeuse. Elle aurait bien voulu aller se débarbouiller à la rivière, mais sa lourdeur la força à attendre, question de digérer un peu. Bercée par le murmure de la rivière et le doux bruissement des feuilles du saule, elle s'assoupit.

Tapi sur une branche, un écureuil observait Amélia. Il reconnaissait celle qui l'avait regardé boire dans la rivière quelque temps auparavant. Il savait de qui il s'agissait. Le renard l'en avait informé. C'est pour cela qu'il s'était montré l'autre jour, en espérant que la vue de ce petit être fragile, supporté par la force du saule, puisse la toucher. La présence d'Amélia confirmait qu'il avait gagné son pari. Cela le rendit heureux.

Amélia reprenait des forces, mais il lui fallait continuer son parcours, et pour ce faire, elle devait d'abord se laver. Plus le temps passait, plus l'écureuil s'impatientait. Il connaissait l'importance du bain pour Amélia. Il émit des «tchic-tchic-tchic» en espérant la réveiller. Rien. Aucune réaction. Il décida alors de l'appeler, malgré l'interdiction formelle d'intervenir imposée par le renard. Mais la pauvre était si près du but que l'écureuil ne pouvait pas la laisser passer une autre journée ainsi.

— Amélia, chuchota l'écureuil du haut de son arbre.

Il attendit en vain une réponse. Amélia dormait profondément, le ventre plein. Il l'appela de nouveau, un peu plus fort cette fois.

— Amélia !

Toujours pas de réaction.

— Amélia, réveille-toi !

Elle émit un léger grognement.

— Amélia, réveille-toi ! Va te laver dans la rivière, cela te fera le plus grand bien.

— Hum ? marmonna Amélia.

Elle s'étira en se frottant les yeux.

— Quoi ? Qui m'appelle ?

L'écureuil se tapit dans l'arbre pour ne pas être vu. Il en avait déjà trop fait.

Amélia conclut que la voix venait d'un rêve et cessa d'en chercher la source. Elle s'assit, regarda autour d'elle et ne vit que de l'herbe haute et odorante. Où était donc passé le champ de bleuets ?

— J'ai mangé les fruits, pas les arbustes tout entiers, quand même ! dit-elle.

Peut-être avait-elle rêvé. C'est cela. Il s'agissait sûrement d'un rêve. En arrivant à la rivière, épuisée, elle s'était effondrée et endormie aussitôt. Même rêvés, les bleuets avaient été succulents. En portant une main à son visage pour repousser une mèche de cheveux, elle remarqua la couleur violacée de ses doigts. Des bleuets imaginaires n'auraient pas laissé de traces. Que se passait-il donc ? Sa conscience lui jouait des tours. Et puis ces animaux qui lui parlaient... Existaient-ils vraiment ? Était-elle en train de perdre la raison ?

Trêve de réflexions. Les mains poisseuses et le visage tout barbouillé par les petits fruits, réels ou imaginaires, Amélia décida d'aller se baigner. La voyant se lever, l'écureuil fit de vigoureux mouvements de la queue, convaincu que le renard lui pardonnerait d'avoir accéléré un peu les choses.

Amélia délaça le corsage de sa robe. Ce vêtement recouvrait son corps depuis si longtemps qu'elle ressentit une déchirure en l'enlevant. Au moment même où sa robe vétuste touchait le sol, un papillon ocre et noir effleura son épaule nue. Ce toucher, si léger fût-il, créa une onde de choc dans tout son corps. Elle fit un pas en arrière en portant une main à l'endroit où le lépidoptère l'avait frôlée de son aile. Si un aussi léger frôlement provoquait une telle réaction, qu'en serait-il du contact avec l'eau ? Amélia, qui avait d'abord songé à plonger tête première dans la rivière, comprit que ce geste aurait pu lui être fatal. Il valait mieux s'habituer graduellement à la fraîcheur de l'eau. Avec prudence, elle s'approcha de la rivière.

Le papillon rejoignit l'écureuil sur sa branche.

— Tu n'étais pas supposé la toucher, murmura l'écureuil.

— Et toi, tu n'étais pas censé la réveiller.

— C'est différent, répondit l'écureuil. Elle a mangé tant de bleuets que j'ai craint qu'elle ne meure d'une indigestion.

— Coquin. Avoue que tu as perdu patience. Moi, je l'ai touchée pour la mettre en garde, dit le papillon. Je ne voulais pas qu'elle fasse une syncope en se jetant tout de go dans l'eau.

— Tu as bien fait, approuva l'écureuil.

Assise sur une branche à la base du saule, Amélia glissa doucement ses pieds dans l'eau dont la chaleur la surprit. Elle ferma les yeux et prit une profonde inspiration. Tous ses sens étaient ravivés par l'odeur de l'herbe, le chant des oiseaux et la douceur de l'eau.

Quand elle était enfant, sa mère l'amenait parfois au bord d'une rivière où toutes deux se baignaient. La beauté de Cybèle enchantait la nature. Amélia affichait une beauté encore plus sublime, mais n'en voyait rien, l'esprit voilé par la grisaille. En se remémorant ces baignades passées, elle se laissa glisser lentement sur la branche. L'eau chatouillait maintenant ses genoux. Tout allait bien. Elle glissa plus avant et eut le souffle coupé quand l'eau atteignit son bas-ventre. Elle dut s'immobiliser le temps de reprendre son souffle. Au bout d'un moment, elle immergea son corps jusqu'aux aisselles. Ses pieds ne touchaient pas le fond. Enfin, elle abandonna la branche et commença à nager. Sa poitrine se comprima et elle se mit à haleter tout en poussant de petits cris. Frôlant la panique, elle agrippa de nouveau la branche. Elle se calma et sa respiration reprit un rythme normal.

À sa deuxième tentative, elle surnagea au prix d'énormes éclaboussures. Cela n'avait rien de gracieux, mais après un certain temps, elle parvint à nager avec plus d'habileté. Sous la caresse de l'eau, sa peur s'évanouit. Une voix s'éleva dans sa tête. Celle de sa mère qui lui fredonnait des airs alors qu'elle la portait en son sein. Les larmes se mirent à couler sur les joues d'Amélia. Étrangement, elles étaient les bienvenues. Tandis que le soleil chauffait son visage levé vers le ciel, elle aperçut l'écureuil et le papillon, côte à côte sur une branche du saule. Il lui sembla que tous deux l'observaient. Elle crut même déceler un sourire dans l'œil du petit rongeur. La gêne mit du rouge aux joues d'Amélia. Elle leur tourna le dos. Enveloppée par l'eau de la rivière, elle fit du surplace.

Avec ses longs cheveux flottant tout autour d'elle, Amélia ressemblait à un nénuphar. Sur la rive, elle aperçut une biche et un faon qui broutaient de l'herbe. Tout près, elle vit un castor. Travailleur infatigable, ce dernier fit une pause, comme pour la saluer, avant de replonger sous l'eau. Amélia décida de faire de même. Elle compta jusqu'à trois, puis jusqu'à dix, puis jusqu'à vingt, puis jusqu'à trente avant de finalement prendre son souffle et de plonger la tête sous l'eau.

Les joues gonflées d'air et les yeux solidement fermés, elle se retrouva dans le noir total, seule avec les battements de son cœur. Une vague de panique faillit la faire remonter à la surface, mais elle tint bon en se disant que si un castor pouvait le faire, elle le pouvait aussi. C'est alors qu'elle ouvrit les yeux et se retrouva face à face avec une tortue dont un rayon de soleil rehaussait la couleur verte. Sans même s'en rendre compte, Amélia esquissa un sourire. Puis, elle vit, au-dessus de sa tête, une lignée de pattes palmées qui traversaient le cours d'eau en diagonale. Une cane et six canetons se rendaient vers l'autre rive. Amélia tournoya sur elle-même dans un nuage de cheveux qui la désorienta. Elle comprit vite que si elle voulait voir quelque chose, elle devait choisir une direction et garder le cap. Elle remonta bientôt à la surface pour reprendre son souffle. Les bruits de la nature emplirent ses oreilles. Les yeux clos, elle se laissa porter par le courant. Quand elle les rouvrit, elle ne voyait plus le grand saule.

— Ma robe!

Elle partit d'un grand mouvement de bras et de jambes pour tenter de remonter le courant afin d'aller récupérer sa robe au pied de l'arbre. Après de vains efforts, elle se dit que de toute façon cette robe était bonne à mettre aux ordures. Elle cessa de se débattre.

Au cours de sa baignade, elle croisa d'autres animaux et vit défiler des paysages tous aussi magnifiques les uns que les autres. Après s'être laissé porter pendant un ou deux kilomètres, son corps fut soudain transi. Il n'y avait pas trente-six solutions. Elle devait regagner la terre ferme. Qu'allait-elle faire toute nue sur le rivage? Cette perspective l'incita à poursuivre sa descente en grelottant de plus en plus jusqu'à ce qu'elle aperçoive au loin le cap de l'Ours, illuminé par le soleil couchant.

La vue de cette montagne familière lui donna un regain d'énergie. De l'autre côté du cap se trouvait sa maison. Elle allait y retourner, s'y vêtir et s'y réchauffer. Pas de temps à perdre. Il ferait bientôt nuit.

15

LA TRAVERSÉE DE NUIT

Le soleil embrasait l'horizon quand Amélia atteignit le cap de l'Ours. Elle eut beaucoup de mal à trouver un endroit où poser pied pour sortir de l'eau. C'est au prix d'un genou écorché qu'elle parvint à s'extirper de la rivière. Le soleil étant trop bas pour la réchauffer, elle se remit à grelotter.

En moins de temps qu'il n'en faut pour le dire, la nuit s'installa et avec elle revint l'angoisse. La pauvre Amélia se trouvait bien sotte de s'être laissé emporter ainsi par la rivière en abandonnant sa robe sur la rive. La nuit sans lune la clouait sur son rocher, incapable de trouver son chemin, sachant fort bien que si elle s'aventurait plus loin, elle risquait de retomber dans un gouffre. Un cri de douleur monta jusqu'à ses lèvres.

— Je me suis fait jouer encore une fois ! Maintenant, je vais mourir pour le plaisir que j'ai pris dans la rivière. J'aurais pourtant dû m'en douter ! gémit-elle en frappant le roc du plat de sa main.

Ses sanglots trouvèrent écho dans la nuit où pas même une petite étoile ne palpitait. À bout de force, elle continua de pleurer en silence, les arêtes du rocher lacérant son corps. Elle suppliait le ciel de la délivrer de ses souffrances quand elle sentit une présence à ses côtés.

— Qui est là ? demanda-t-elle.

— C'est moi, Raphaël.

— Raphaël ? Où es-tu ?

— Ici, à tes pieds.

Amélia tendit une main pour localiser le lièvre. Quel réconfort ce fut de sentir sa fourrure chaude sous ses doigts glacés !

— Chère Amélia, que fais-tu ici ?

C'est d'une voix rauque, entrecoupée de sanglots, qu'elle lui raconta ses déboires.

— Cesse de pleurer et suis-moi. Je te conduirai chez toi.

— Oh, Raphaël, mon ami, merci !

Amélia se leva même si ses muscles, endoloris par la nage et le froid, s'y opposaient fortement. Elle et son guide partirent dans la montagne en route vers le domaine des Hautbois. Chaque pas qu'elle faisait, mal assuré, dans le noir, s'accompagnait d'une douleur aiguë. Son corps tout entier protestait au moindre battement de cils.

Quant à Raphaël, il gambadait avec aisance. Amélia pouvait à peine le distinguer dans le noir et c'est avec beaucoup de difficulté qu'elle parvenait à le suivre. Raphaël l'aidait de son mieux en fredonnant des chansons qui parlaient toutes de retour à la maison et de fête.

Après quelques kilomètres de marche, épuisée, elle demanda à Raphaël de faire une pause.

— On peut s'arrêter si tu le veux, mais ce ne sera pas mieux après, dit-il.

— Laisse-moi au moins reprendre mon souffle.

— D'accord.

Amélia s'assit sur un bloc de pierre dont le contact glacé lui arracha un hoquet de surprise. Elle porta ses mains à ses pieds pour tenter de les réchauffer. Ils étaient poisseux. Elle poussa un cri.

— Mes pieds sont en sang !

— Ne t'en fais pas, Amélia. Ils sont de chair, ils guériront.

— Mais comment vais-je rentrer à la maison ? Je ne peux plus marcher.

— Sois courageuse, car nous avons encore une longue marche devant nous.

— Je ne pourrai pas, dit Amélia en sanglotant.

— Tu as fait tout ce chemin depuis la noirceur, tu ne vas pas t'arrêter maintenant, l'encouragea Raphaël.

— Mais je suis encore dans la noirceur.

— Oh, cette noirceur n'est que passagère. Elle sera bientôt chassée par le lever du jour.

— De quelle noirceur parles-tu, alors? demanda Amélia entre deux sanglots.

— Tu le sais bien.

— Non.

— Amélia, qu'est-ce qui t'a menée jusqu'ici?

— C'est toi.

— Non. Je ne t'ai pas menée vers cette montagne; je ne fais que t'aider à la traverser.

— Alors, c'est la pie! C'est elle qui m'a dit d'aller me laver à la rivière. C'est sa faute!

— Et pourquoi t'a-t-elle dit d'aller te laver?

— Parce que je me suis vue et me suis trouvée dégoûtante.

— Et pourquoi t'es-tu vue?

— Parce que je me suis regardée.

— Pourquoi t'es-tu regardée?

— Parce que… Parce que la pie m'a dit de le faire.

— Ne serait-ce pas plutôt parce que tu en avais le désir ?

— Le désir…

— Lève-toi maintenant. Nous devons repartir avant que tu ne gèles.

Amélia se leva péniblement. La douleur, qu'elle croyait insupportable une minute auparavant, décupla. Elle se laissa retomber sur la pierre en geignant.

— Ah ! Je ne peux pas. Je n'en peux plus.

— Mais si, tu en es capable. Lève-toi et imagine que tu es dans un champ de fleurs, entourée de papillons.

— Mais comment…

— Tais-toi et vole ! Comme un papillon.

— Oh, laisse-moi !

— Fais comme je te dis et suis-moi.

Amélia repoussa sa longue chevelure mouillée qui lui glaça le dos. Avant de tenter de se lever, elle ferma les yeux et suivit les instructions de Raphaël. Elle se revit assise au milieu d'un champ, entourée de glaïeuls et d'une nuée de papillons multicolores. Sitôt cette image installée dans son esprit, le froid perdit de son mordant. Elle se leva presque sans peine. Portée par cette vision, elle sentit ses pieds se poser sur le rocher comme sur une mousse duveteuse. Disparue, la douleur ; oublié, le froid.

Amélia était redevenue papillon. Rêve ou illusion nourrie par son désespoir ? Quelle importance. Elle volait entourée de ses compagnons et c'est tout ce qui comptait. Ensemble, ils survolèrent monts et vallées sous un ciel dégagé. À l'approche d'un hameau, Amélia aperçut une petite fille assise sur une balançoire. Elle faussa compagnie à ses camarades et alla se poser sur l'épaule de l'enfant. Celle-ci jeta sur Amélia un regard déchirant. La fillette avait d'immenses yeux bleu azur. Immenses et désespérés. Amélia reconnut immédiatement une petite âme en peine. Tout comme elle, cette fillette errait dans un monde auquel elle ne parvenait pas à s'attacher. Cette image troubla tant Amélia qu'elle quitta aussitôt son rêve et se retrouva dans la montagne, avec Raphaël qui lui chantait une chanson. Au moment même où le froid et la douleur revenaient la torturer, ils s'engagèrent dans un étroit sentier qu'elle reconnut dans le jour naissant. Quelques instants plus tard, elle vit sa demeure au pied de la montagne.

— Raphaël, nous sommes arrivés !

— Tu es arrivée, Amélia.

— Viens, je vais te donner à manger.

— Commence par te nourrir toi-même. Rentre chez toi, dit Raphaël.

La gorge nouée par l'émotion, Amélia contemplait en silence sa demeure au loin.

— Va. Rentre chez toi, répéta Raphaël.

— Viens donc avec moi.

— Adieu, Amélia.

16

LES RETROUVAILLES

Pour la toute première fois, Amélia était triste de rentrer à la maison, au lieu d'y être indifférente. Elle aurait tout aussi bien pu rester dans la montagne ou retourner à la rivière. Dans la montagne se trouvait un ami pour la réconforter. Et au bord de la rivière, des bleuets pour la nourrir.

Chaque pas éveillant une douleur nouvelle, Amélia faillit se laisser choir à même le roc. Elle n'avait qu'une envie : s'abandonner, avoir à ses côtés quelqu'un qui veille sur elle, quelqu'un qui la regarde pleurer.

— Le renard !

Oubliant ses blessures et ses courbatures, Amélia dévala la côte avec une agilité remarquable, sans même regarder où elle mettait les pieds. Elle revenait à la maison. Le renard l'y attendait peut-être. Cet espoir suffit à lui faire parcourir au pas de course la distance qui la séparait de sa demeure. Elle n'avait d'yeux que pour le grand chêne qui se dressait devant la fenêtre de sa chambre.

Un premier rayon de soleil craqua l'horizon et vint éclairer le feuillage de l'arbre.

— Renard! Renard! s'écria Amélia en parcourant les derniers mètres qui la séparaient de chez elle.

— Amélia?

— Renard, tu es là! Comme je suis contente!

— Amélia!

— J'ai tant de choses à te rac…

Quelqu'un apparut au pied du chêne et Amélia s'arrêta net.

— Amélia! s'écria Angelo en marchant vers sa cousine les bras tendus.

— Angelo?

— Mon Amélia, tu es là! Dire que je te croyais morte.

Amélia prit tout à coup conscience de sa nudité.

— Va-t'en! Euh… je veux dire, ne t'approche pas, dit-elle en ramenant ses cheveux sur sa poitrine.

— Amélia, ne sois pas cruelle. Ne me demande pas de partir, je t'ai attendue si longtemps.

— Ne t'approche pas!

— Laisse-moi te regarder.

— Non! Tourne-toi, je suis toute nue.

— Qu'importe? Laisse-moi voir tes yeux.

— Angelo, j'ai honte, ne me regarde pas.

— Tu as honte ? Mais de quoi donc ?

— J'ai honte, voilà tout.

— Mais Amélia, tu devrais être fière, tu devrais danser, tu devrais…

— Je devrais rentrer.

— Ne me prive pas de ta présence encore une fois. Amélia, je t'attends depuis tant d'années.

— Eh bien… tu peux bien continuer un peu.

— Amélia, tu n'as pas de secrets pour moi.

— Oh si, tu n'as pas idée de ce qui m'est arrivé.

— Amélia, tous les secrets du monde sont dans le feuillage du grand chêne, et ce chêne, c'est moi qui l'ai planté.

— C'est vrai ?

— Oui.

— Quand ?

— Oh, il y a si longtemps que j'ai oublié.

— Pourquoi l'as-tu fait ?

— Pour toi.

— Pour moi ?

— Oui.

— Pourquoi ?

— Parce que je t'aime.

Elle ne sut que répondre. Une fois la surprise passée, elle regarda le visage de son cousin comme pour la première fois. Elle reconnut sa forme carrée, son menton volontaire et sa large bouche. Ses yeux noisette avaient davantage de profondeur que dans son souvenir. Peut-être à cause des sourcils, plus épais et plus bas que dans ses jeunes années. Ou bien à cause des pattes-d'oie qui en décoraient maintenant le contour. Ses cheveux noirs et bouclés, moins drus, avaient acquis de la sagesse en se parsemant de gris.

— Tu trouves que j'ai changé? dit Angelo.

— Oh oui! Je veux dire, un peu.

— Toi aussi.

Amélia croisa les bras sur sa poitrine.

— Tu n'as pas à te cacher, Amélia. À force de rêver de toi, je te connais par cœur.

— Et moi, je ne sais plus rien de toi.

— Tu peux réapprendre à me connaître.

— Qu'est-ce que tu fais ici?

— Je rêvassais au pied du chêne, comme tous les matins.

— Tous les matins?

— Oui, tous les matins.

Angelo voyait enfin sa patience et sa ténacité récompensées. Il avait respecté l'ordre des choses et du temps, et Amélia lui était revenue.

— Mais pourquoi rêvasser ici ? demanda Amélia.

— Pour me donner la patience de t'attendre et aussi pour te donner la force de sortir de ta chambre.

— Tu as fait cela pour moi ?

Angelo fit signe que oui en tendant à Amélia un gland provenant de son chêne.

— C'est pour toi.

— Est-ce que je peux le manger ? Je meurs de faim, avoua-t-elle.

— Si tu veux.

De ses longs doigts gelés, Amélia commença à décortiquer le fruit du chêne sous le regard d'Angelo. N'importe quel observateur aurait pu lire toute la reconnaissance du monde dans les yeux de celui qui avait été privé pendant si longtemps de l'objet de son amour.

La cupule récalcitrante du gland finit par céder sous les efforts d'Amélia, qui délivra le contenu de son écorce.

— Est-ce que c'est bon ? demanda-t-elle.

— Je ne sais pas. Goûtes-y.

Répondant à l'invitation de son cousin, Amélia mordit dans l'amande qui se sépara dans un crac sonore sous ses dents. Dès que le fruit toucha sa langue, elle grimaça. Le goût amer aurait pu la dégoûter, mais elle était si affamée qu'elle aurait mangé même l'écorce du gland. Elle mastiqua très lentement, car ses gencives avaient perdu l'habitude de la nourriture dense. Angelo la contemplait comme si elle avait accompli un exploit.

— C'est bon ? demanda-t-il.

Amélia hocha vigoureusement la tête. Le silence qui suivit causa une certaine gêne entre les deux ex-fiancés. Amélia mangeait lentement, ce qui la dispensait de parler. Angelo tendit une main et toucha les cheveux de sa cousine qui resta immobile sous sa caresse. Quand elle eut fini de manger, elle se lécha les doigts pour étirer le temps. Des cheveux, la main d'Angelo passa au visage. Le toucher de son cousin, si tendre, lui insuffla une vague de chaleur semblable à celle du fruit du chêne au creux de son estomac.

Amélia tendit à son tour un bras vers le visage de son cousin. Sa main se posa sur une joue plus douce qu'en apparence. Cette douceur éveilla en elle des souvenirs oubliés. Elle revit leurs jeux d'enfant dans lesquels ils étaient toujours complices. Angelo pencha son visage vers celui de sa cousine et leurs souffles se mêlèrent.

Le renard, perché dans le chêne, eut un petit rire discret. N'ayant rien manqué de la scène, il jugea opportun de se retirer. Il descendit de l'arbre sans faire de bruit pour ne pas déranger les amoureux retrouvés. Ils avaient bien mérité quelques instants de paix pour refaire connaissance. Le renard s'en fut à travers champs avec le sentiment du travail accompli. Bientôt, Amélia n'aurait plus besoin de lui et cela le rendait très heureux.

17

L'APAISEMENT

Quand Amélia se réveilla, trois jours avaient passé. Il faisait nuit, mais sa chambre était baignée de lumière, ce qui la surprit. La porte était entrouverte et un feu crépitait dans la cheminée. Confuse, elle ne reconnaissait pas la pièce. Puis, elle se souvint de son retour à la maison et de sa rencontre avec Angelo. Elle tenta de repousser une mèche de cheveux qui barrait son visage, mais son bras ankylosé protesta.

— Angelo? appela-t-elle d'une voix enrouée.

— Oui, ma chérie?

Amélia sursauta au son de la voix de son cousin, mais surtout au qualificatif employé. Elle se retourna et vit Angelo assis sur la berceuse, un livre entre les mains. À ses côtés, sur la table, était posée une lampe. Elle ne l'avait jamais vue auparavant.

— Tu t'es bien reposée? demanda Angelo en se levant.

— Oui. Tu lisais?

— Oui. Tu voudrais quelque chose à lire?

— Non. Je ne saurais plus comment.

— Je t'apprendrai, dit Angelo en se dirigeant vers Amélia.

Il se pencha vers elle et déposa un baiser sur son front.

Amélia regarda de nouveau la lampe. Son abat-jour de verre blanc ressemblait à un lys. La tige légèrement courbée de la fleur reposait aux côtés d'une figurine représentant une jeune fille dotée d'ailes de papillon bleu roi. Assise à l'indienne, elle portait une robe mauve scintillante et une couronne de pervenches ornait ses longs cheveux châtains.

— D'où vient cette lampe? demanda Amélia.

— Je ne sais pas.

— Comment, tu ne sais pas? Elle n'était pas ici quand je suis sortie.

— Elle y était quand je t'ai ramenée.

— Elle est jolie, dit-elle.

— Oui, je trouve aussi. Tu as faim? Voudrais-tu boire quelque chose?

Amélia sonda son corps.

— Non, répondit-elle. Je ne crois pas.

Elle sonda davantage.

— Ah, et puis peut-être que oui. J'ai un peu faim.

— Qu'est-ce qui te ferait plaisir?

— Plaisir?

— Qu'est-ce que tu aimerais manger?

— Des bleuets! dit-elle en souriant.

— Des bleuets? Je regrette, mais ce n'est pas la saison.

Amélia songea à sa visite à la rivière. Elle tira ses mains de sous la couverture et vit qu'elles étaient mauves. Elle les remit sous la couverture sans un mot.

— J'ai préparé de la soupe. Tu en veux? demanda Angelo.

— Depuis quand cuisines-tu?

— Je cuisine depuis… depuis qu'Hilda nous a quittés.

— Hilda est partie? Mais où est-elle allée?

— Elle nous a quittés pour un monde meilleur, dit Angelo en posant une main dans les cheveux d'Amélia.

— Ne me dis pas qu'elle est morte!

— C'est malheureusement le cas.

Angelo raconta à sa cousine les circonstances du décès de sa vieille nurse et lui indiqua où reposait sa dépouille.

— J'espère qu'elle n'a pas trop souffert, dit Amélia, les yeux larmoyants.

— Sa plus grande souffrance aura été son impuissance face à la tienne.

— Je suis désolée, murmura Amélia en baissant les yeux. Tu m'amèneras sur sa tombe?

— Promis, dit Angelo. Mais avant, tu veux de la soupe ?

— D'accord.

Dès qu'Angelo fut sorti de la chambre, Amélia se tourna vers la fenêtre grande ouverte. Son corps hurlait de douleur et elle prenait un curieux plaisir à la ressentir.

— Renard, es-tu là ? appela-t-elle.

Elle scruta le feuillage du chêne à la recherche des yeux perçants de la bête.

— Renard !

— Pas la peine de crier, je suis ici.

— Où ? Je ne te vois pas.

Le feuillage remua et elle vit apparaître le museau, puis les yeux de son ami, blotti sur une branche.

— Pourquoi te caches-tu ?

— Angelo n'a pas besoin de me voir.

— Pourquoi ? Il est très gentil, tu sais.

— Je sais, mais c'est ainsi.

— Dis-moi, Renard, pourquoi toutes ces choses m'arrivent-elles ?

— Tu as peut-être quelque chose à apprendre.

— Pourquoi est-ce que je mange des bleuets hors saison ?

— Parce que tu en avais besoin.

— Pourquoi Raphaël m'a-t-il sauvé la vie ?

— Parce que tu en avais besoin.

— Pourquoi Angelo a-t-il planté ce chêne devant ma fenêtre?

— Parce que tu en avais besoin.

— Pourquoi Angelo a-t-il…

— Écoute, Amélia! Il est temps que tu apprennes qu'il est vain de chercher le pourquoi de toute chose, et qu'il te serait plus utile d'y trouver un sens.

— Je ne comprends pas, dit Amélia en se frottant les yeux.

— Chercher le pourquoi, c'est retourner en arrière, alors que chercher un sens, c'est aller de l'avant. Dans quelle direction veux-tu aller?

— De l'avant, je suppose.

— Alors, qu'attends-tu?

Amélia réfléchit avant de répondre.

— Je ne sais pas.

— Permets-toi de rêver et tu trouveras la réponse. Au revoir, Amélia.

Le renard se leva et entama sa descente.

— Rêver? Mais ça ne sert à rien de rêver, répliqua Amélia.

Le renard s'immobilisa et la regarda droit dans les yeux.

— Je t'ai déjà dit qu'il ne faut jamais sous-estimer le pouvoir d'un rêve.

— Mais Renard, *tout* semble avoir une raison d'être, sauf moi. Pourquoi?

— Toute chose et tout être ont une raison d'être, et toi autant que les autres.

— Tu en es certain ?

— Suis mon conseil. Permets-toi de
rêver et tu trouveras la clé. Au revoir, belle
Amélia.

Le renard reprit sa descente et Amélia le
rappela.

— Dis, la lampe, c'est toi ?

L'animal se tourna vers elle et lui adres-
sa un clin d'œil.

— Dis, tu reviendras ?

Le renard fit la sourde oreille et disparut
dans la nuit étoilée.

À cet instant, Angelo entra dans la
chambre portant un bol de soupe fumante
posé sur un plateau d'argent.

18

LA PLUME

Ce soir-là, Amélia, qui n'avait pas coutume de prier, demanda au Ciel de lui faire cadeau d'un rêve. Elle trouva rapidement le sommeil, mais le lendemain matin elle eut beau fouiller dans sa mémoire, elle ne conservait le souvenir d'aucun rêve. Elle ferma les yeux et remonta les couvertures par-dessus sa tête. Le sommeil allait la gagner de nouveau quand le chant de la pie se fit entendre. Irritée par ces piaillements, Amélia rejeta les couvertures en disant :

— Tu vas te taire ? J'ai besoin de dormir !

Et la pie continua de plus belle. Furieuse, Amélia se leva et se dirigea vers la fenêtre, les poings sur les hanches.

— Tu vas te taire à la fin ? Tu chantes mal !

La pie se tut et jeta un regard oblique vers Amélia.

— Combien de fois devrai-je te dire que de chanter mal n'est pas une raison pour se taire ?

— Ah non ? fit Amélia en ouvrant la fenêtre aux carreaux cassés.

— Non. Il faut aller au-delà de ma voix éraillée pour comprendre ce que j'ai à dire.

— Et qu'as-tu à dire ?

— J'ai faim ! Quand vas-tu te décider à tirer profit de tes champs ?

— Mes chants ? Mais je ne chante pas, moi.

— Pas tes chansons, gourde, tes terres !

— Je n'ai aucune envie de cultiver quoi que ce soit.

— Égoïste !

— Égoïste toi-même ! Tu chantes pour ton propre plaisir. Qu'est-ce que tu me veux, ce matin ?

— Toi, qu'est-ce que tu veux ?

— Je veux dormir !

— Dormir ? Encore ? Mais tu dors depuis des jours. Laisse-moi te chanter quelque chose.

— Je n'aime pas ton chant.

— Sais-tu seulement ce que tu aimes ?

Amélia resta bouche bée.

— Qu'est-ce que tu aimes ? répéta la pie.

— Euh…

— Si tu ne sais pas ce que tu aimes, tu n'as pas le droit de critiquer ma façon de chanter.

Amélia fut stupéfaite, autant par la remarque de la pie que par son propre manque de répartie.

À cet instant, l'oiseau se tortilla sur la branche et, d'un coup sec, arracha la plus belle plume de sa queue qu'il tendit à Amélia.

— Prends cette plume et écris.

Amélia saisit la longue plume qui chatoyait sous les rayons du soleil.

— Mais… je ne sais plus comment écrire.

— Ça reviendra.

— Mais je ne saurais pas quoi écrire.

— Écris n'importe quoi, ça n'a aucune importance. Le temps qu'il fait, tes rêves, ce que tu as mangé, des histoires inventées, ta vie, n'importe quoi. Tout ce qui compte, c'est d'écrire.

— Mais je vais me fatiguer…

— Alors, va marcher.

— Et s'il pleut ?

— Eh bien, dessine !

— Dessiner quoi ?

— N'importe quoi !

— C'est facile à dire…

— C'est encore plus facile à faire. Marche, écris, dessine et tu te trouveras.

Sur ce, la pie s'envola, laissant Amélia hébétée à sa fenêtre, une plume à la main.

19

REGAIN DE VIE

De jour en jour, Amélia reprenait des forces, des couleurs et de l'entrain. Quand ses pieds furent guéris, elle se remit à la marche. Lors de ses promenades, elle faisait le plein d'images qui la changeaient de la monotonie des murs de sa chambre. Sitôt rentrée à la maison, elle mettait en pratique les conseils de la pie en écrivant et en dessinant.

Un matin, elle dessina une grosse chenille verte croisée au milieu d'un sentier et qu'elle avait transportée dans un fourré, craignant qu'elle se fasse écraser par un autre promeneur. Une autre fois, ce fut un couple de libellules s'accouplant en plein vol qui attira son attention. Bien sûr, quiconque aurait vu les gribouillis qui tapissaient les murs de sa chambre serait demeuré perplexe quant à leur signification, mais cela n'avait pas d'importance.

Après avoir dessiné, Amélia écrivait deux ou trois pages sur ce qui lui trottait dans la tête, c'est-à-dire tout et rien. Elle

pouvait aussi bien disserter sur la splendeur du feuillage de son chêne que sur le
ragoût infect cuisiné par Angelo la veille.
Son écriture était grossière et son ortho-
graphe, déficiente, mais elle s'en moquait.
Bien sûr, elle aurait pu apprendre dans les
plus grandes écoles, s'offrir les meilleurs
professeurs, mais la seule chose qui comptait pour elle était d'écrire et de dessiner,
peu importe comment, puisqu'elle privilé-
giait l'action et non la perfection.

Amélia vivait les plus beaux jours de sa
vie. Mais ayant été blessée dans le passé, elle
ne parvenait pas à apprivoiser ce bonheur
simple sans appréhension. Dès qu'elle
ressentait de la joie, elle faisait le compte
mentalement en ajoutant une part de larmes
à la colonne des débits qu'elle devrait payer
tôt ou tard. Ainsi, elle accueillait tous les
petits plaisirs du bout du cœur, convaincue
qu'elle se ferait écorcher dans le détour. En
conséquence, elle acceptait avec difficulté la
bonté et l'amour d'Angelo qui veillait sur
elle comme sur un nourrisson.

Parallèlement à ses nouvelles activités,
Amélia s'autorisait à suivre le conseil du
renard en rêvant de temps à autre. Elle faisait même des rêves éveillés au cours
desquels son esprit voyageait dans des pays

merveilleux où elle goûtait à tous les plaisirs s'offrant à elle. Angelo sut d'emblée qu'il ne fallait pas déranger sa cousine lorsqu'elle rêvassait. Il faisait preuve de patience en la laissant terminer son voyage et parfois, à son retour, elle lui racontait ses périples.

Une fois, elle visita un territoire au paysage dominé par de vertes collines. Elle fut si impressionnée qu'elle en parla à Angelo pendant des jours, décrivant le contraste des verts, le bleu du fleuve qui traversait la campagne, le parfum des orangers et même le vol rigolo des colibris dans le maquis. Angelo ne se lassait pas de l'écouter. Amélia avait un tel talent de conteuse qu'il pouvait voir, lui aussi, ces collines et suivre le vol des oiseaux.

Un jour, Amélia demanda à Angelo s'il lui arrivait de rêver. Il lui raconta alors le rêve l'ayant le plus marqué, celui qui l'avait conduit à planter un chêne au domaine des Hautbois.

— Et tu as cru ce Méda quand il t'a dit que tu devais planter un arbre?

— Regarde à ta fenêtre. Tu vois bien que je l'ai cru.

— Tu crois donc aux rêves, conclut Amélia.

— Pas toi?

— Non. C'est-à-dire que j'aimerais bien… Il y a un rêve que j'ai fait à quelques reprises et dans lequel je me transforme en papillon.

— En papillon? Mais ça doit être agréable, dit Angelo.

— Oh oui, si tu savais! Je suis libre et si légère, et il y a plein de papillons avec moi, et nous volons dans la campagne et…

— Mais c'est merveilleux! l'interrompit Angelo. Tu aimerais être un papillon?

— Oh oui!

— Eh bien, continue de rêver. On ne sait jamais.

Amélia posa les yeux sur son chêne grandiose en se disant que si le rêve d'Angelo avait pu changer sa vie, il pourrait en aller de même pour elle.

20

LA RÉVÉLATION

À la fin de l'été, au milieu d'une nuit torride, Amélia retourna en rêve au pays des papillons. Alors qu'elle volait dans la campagne en compagnie de ses semblables, elle aperçut un vieillard assis sur un rocher. Ses traits tirés trahissaient sa fatigue, mais paradoxalement il dégageait une force suprême. Quand le regard d'Amélia croisa celui du vieil homme, elle se sentit appelée. Mine de rien, elle faussa compagnie aux papillons et se dirigea vers lui. Il tenait dans sa main droite une longue canne à pommeau au sommet duquel était sertie une perle. Amélia s'y posa.

— Te voilà enfin, dit le vieil homme.

Son regard enveloppa Amélia d'une infinie tendresse. Les petits yeux gris du vieillard semblaient avoir vu défiler bien des époques.

— Vous m'attendiez ?

— Disons que je t'espérais.

— Qui êtes-vous ?

— Je suis Méda, le Maître du grand chêne.

À ces paroles, la terre trembla.

— Le Maître du grand chêne? Angelo m'a parlé de vous, dit Amélia en battant fébrilement des ailes.

— Ne crains rien. Je ne t'ai pas attendue tout ce temps pour te faire du mal.

— J'en suis heureuse.

— L'es-tu vraiment?

— Quoi? Heureuse?

— Oui.

Amélia réfléchissait à sa réponse lorsqu'un aigle vint se poser sur l'épaule de Méda. Elle voulut s'envoler, mais le Maître du grand chêne la retint.

— Ne crains rien, ma fille. L'aigle est sage et il connaît trop bien la valeur des papillons pour songer à en chasser un seul.

— Les papillons ont une valeur?

— Que dis-tu là, malheureuse? tonna Méda. Toute chose a une valeur! De la panthère au vermisseau, de la plus haute montagne au plus petit grain de sable, toute chose a une valeur et une raison d'être!

Amélia avait choqué le Maître. Craignant ses foudres, elle voulut s'envoler, mais une question lui venant à l'esprit, elle retint son mouvement.

— Même moi? risqua-t-elle timidement.

— Même toi? Mais surtout toi!

Amélia faillit tomber du pommeau.

— Surtout moi ?

— Oui, toi.

— Mais si c'est vrai, pourquoi ma vie est-elle si difficile ? Pourquoi mon existence est-elle si insignifiante ?

— Ferme les yeux, ordonna Méda.

Amélia obéit.

— Est-ce que tu vois le soleil qui réchauffe la terre ? demanda-t-il.

— Non.

— Tu ne le vois pas ?

— Mais non, puisque j'ai les yeux fermés !

— Cela signifie-t-il que le soleil n'existe pas ?

— Bien sûr que non.

— Ouvre les yeux maintenant.

Amélia obéit.

— Le fait que tu sois aveugle à ta propre valeur ne veut pas dire qu'elle soit inexistante.

— Vous voulez dire que…

— Tu sais très bien ce que je veux dire. Le grand chêne t'a fait renaître à la vie. À toi maintenant de faire de même pour d'autres âmes en peine.

Faire de même pour d'autres âmes en peine. À ces mots, Amélia revit la petite fille rencontrée en rêve la nuit où Raphaël l'avait ramenée chez elle, cette petite fille si jolie, à l'air si désespéré.

— Va! ordonna Méda. Retrouve-la et plante un chêne devant sa fenêtre.

— Mais comment…

— Tu es un papillon, vole jusqu'à elle.

— Mais ceci n'est qu'un rêve!

— Ne sous-estime jamais le pouvoir d'un rêve.

— Je peux, moi, Amélia des Hautbois, aider quelqu'un?

— Va! Tes compagnons t'attendent.

Le cœur d'Amélia se gonfla à un point tel qu'elle s'éleva dans les airs sans même avoir à battre des ailes. En se retournant, elle vit toute une colonie de papillons multicolores regroupés derrière elle.

21

LES ADIEUX DU RENARD

Réveillée au milieu de la nuit, Amélia se leva pour consigner dans son journal sa rencontre avec Méda. Elle alluma l'unique lampe de la pièce, celle que lui avait offerte le renard, et s'assit dans sa berceuse.

Elle prit son cahier et la plume de la pie, puis commença à écrire son rêve, ce qu'elle fit avec application, utilisant de beaux mots et formant de jolies lettres. Elle mit près d'une heure à coucher sur papier ce rêve étrange. Lorsqu'elle eut terminé, elle leva la tête, le cou raidi par sa mauvaise posture, et vit son reflet dans la psyché. Ses traits semblaient s'être adoucis, la robe lilas, offerte par Angelo, scintillait dans la nuit et ses cheveux avaient un semblant d'ordre. À cet instant précis, elle se reconnut. La jeune fille papillon de la lampe, c'était elle.

— Comment vas-tu, Amélia ? demanda une voix à la fenêtre.

Elle se retourna promptement et vit le renard allongé sur une branche du chêne.

— Ah, te voilà ! Je vais bien. Et toi ?

— Magnifiquement bien, répondit le renard en retroussant les babines.

— J'ai fait un rêve extraordinaire, dit Amélia.

— Je sais.

— Bien sûr.

— Amélia, je suis venu te dire adieu.

— Me dire adieu ? Mais pourquoi ?

— Tu n'as plus besoin de moi.

— Mais je t'aime bien. J'aimerais te garder auprès de moi.

— Tu sais bien que c'est impossible.

Amélia détourna le regard.

— J'ai accompli mon devoir, déclara le renard. Je suis fier de toi, Amélia. Adieu.

Attristée à l'idée de ne plus revoir son ami, Amélia leva les yeux pour le regarder une dernière fois, mais elle vit, dans la psyché, non pas le reflet du renard gris, mais plutôt celui d'un superbe papillon vert qui prenait son envol.

22

LA MÉTAMORPHOSE

Le lendemain, Amélia s'éveilla au petit matin. Reposée et détendue, elle se remémora sa rencontre avec Méda. Puis, elle se souvint de la visite du renard. Était-ce un rêve ? Elle sauta hors du lit, alla chercher son cahier, l'ouvrit et en lut quelques lignes. Il s'agissait bien de la description de son rêve de la veille. La visite du renard et ses adieux avaient donc eu lieu. Elle en fut attristée et retourna se coucher.

Une chaude brise entrait par la fenêtre ouverte qui était munie de carreaux tout neufs. Amélia posa son regard abattu sur le feuillage du grand chêne. Les feuilles aux lobes arrondis s'irisaient sous les rayons du soleil. La brise qui s'y frottait semblait en jouer comme d'un instrument céleste. Était-ce le son d'une harpe ou celui d'une flûte qu'elle entendait ? Amélia tendit l'oreille et ferma les yeux pour mieux savourer les douces notes qu'elle savait n'exister que pour elle seule. La subtilité de la mélodie la transporta dans un autre monde dans lequel elle contemplait la beauté de son arbre, appuyée au cadrage de sa fenêtre.

Amélia retenait son souffle pour ne pas déranger le jeu du vent dans les feuilles qui semblaient prendre une quatrième dimension. Bientôt, elle les vit frémir d'une façon inopinée. Puis, apparurent sous ses yeux toutes les couleurs de l'arc-en-ciel, des coloris qui n'avaient rien à voir avec ceux d'un arbre, aussi formidable soit-il. Ici, une tache de mauve. Là, du bleu. En haut, de l'ocre. Puis, du jaune et du violet vers le bas. De l'orangé et encore du bleu. Amélia se frotta les yeux. En les rouvrant, elle constata que les taches de couleurs devenaient de plus en plus grandes et variées. Le vert s'estompa, puis disparut complètement. Les feuilles prenaient vie. Les feuilles devenaient... des papillons !

Ébahie par la beauté de cette vision, il lui sembla que la mélodie se faisait plus audible, que son rythme s'accentuait. Devant elle, des milliers de papillons battaient des ailes à l'unisson. En position fermée, elles arboraient une couleur verte qui les camouflait parfaitement, et quand elles se déployaient, jaillissaient des coloris des plus spectaculaires.

C'est par ce matin de fin d'été qu'Amélia comprit que les papillons l'attendaient comme Méda le lui avait annoncé dans son rêve. Mais comment faire pour les rejoindre ? Elle ne pouvait pas sauter dans l'arbre sans risquer de blesser de nombreux papillons. Que faire alors ? À cet instant, les papillons battirent des ailes avec plus d'ardeur. Envoûtée par cet appel, Amélia se pencha à sa fenêtre et bascula dans le vide. Au lieu de tomber, elle s'éleva dans les airs et se posa à la cime de l'arbre, parmi ses semblables. Dans un tourbillon euphorique, elle devint l'arbre, elle devint la musique, elle devint la souveraine des papillons. À son signal, tous s'envolèrent dans un nuage d'une beauté sublime. Regardant vers le sol, Amélia aperçut Angelo qui lui faisait signe de la main au pied de l'arbre dénudé. Elle lui dédia un battement d'ailes et se concentra sur sa destination, car elle savait très bien où aller.

La nuée de papillons traversa des montagnes, des rivières et des forêts. Le jour tombait quand elle atteignit son but : une petite maison en bordure d'un village. Amélia aperçut de la lumière à l'étage. Elle se posa sur le rebord de la fenêtre et sa taille minuscule lui permit de voir à l'intérieur par l'interstice des rideaux. La petite fille à l'âme en peine, visitée en songe le soir où Raphaël l'avait aidée à traverser la montagne, était là.

Assise sur son lit, la fillette courbait le dos, le regard dans le vague. Amélia comprit, pour l'avoir vécu, que la pauvre enfant, accablée de tristesse, tentait de se refaire des forces après une autre journée passée dans un monde vide de sens. Son profond désespoir la maintenait en permanence au bord des larmes comme au bord d'un précipice, et chaque jour elle tombait dans le vide, se mettant à pleurer, apparemment sans raison. Et plus elle pleurait, plus elle avait honte. Et plus elle avait honte, plus elle s'enfonçait dans sa désespérance.

Parmi les âmes à la dérive, les plus chanceuses en réchappent grâce à des êtres d'exception qui les soutiennent dans la tourmente jusqu'à ce qu'elles prennent pied dans la vie, tel un tuteur accolé à un arbrisseau chétif lui permettant de croître et de prendre solidement racine. Malheureusement, nombre d'entre elles n'ont pas cette chance et passent leur vie à la dérive, alors que d'autres, à bout de force, décident de retourner d'où elles viennent sans se douter que ce faisant, elles se condamnent à refaire ce même affligeant trajet, tant et aussi longtemps qu'elles n'auront pas trouvé la clé. Amélia avait enfin trouvé la sienne. Angelo, Méda, la pie, le renard, Raphaël et les papillons s'étaient ligués pour l'escorter à travers sa métamorphose.

La petite fille tira les couvertures et se coucha. Amélia remarqua que la porte de sa chambre était close, tout comme celle de son placard. Elle se promit de revenir lui offrir une perle. Mais il fallait d'abord planter un chêne devant sa fenêtre, ce à quoi s'affairaient déjà ses amis les papillons.

ÉPILOGUE

Des années durant, Amélia veilla en songe sur la petite fille au cœur lourd. Au terme d'un long chemin, souvent ardu au point de vouloir abandonner, cette dernière découvrit à son tour le rôle des papillons : rallumer le feu dans les âmes tristes.

Depuis ce temps, chaque nuit, Amélia et les papillons parcourent le monde à la rescousse d'autres âmes en peine.

Depuis ce temps, des gens des quatre coins du monde constatent un matin qu'un chêne a poussé devant leur fenêtre.

Depuis ce temps, les âmes en peine se font de moins en moins nombreuses et de cela, tout le monde se réjouit.

Parce qu'un jour Amélia des Hautbois s'est vue comme une riche héritière plutôt que comme une pauvre orpheline, la vie est revenue au domaine rebaptisé domaine du Grand Chêne. Tous s'entendent pour dire qu'il a dépassé sa splendeur d'autrefois tant par sa richesse que par sa beauté. Amélia en a confié l'intendance à son fidèle compagnon, Angelo, en reconnaissance de son amour et de son infinie patience.

Ils vivent tous deux dans un confort enviable, entourés de livres et d'objets précieux. La chambre d'Amélia est méconnaissable grâce aux travaux entrepris par les tourtereaux qui sont parvenus à effacer des années de malheur. Des toiles peintes par Amélia ornent les murs. Devant la fenêtre trône un bureau en chêne massif construit par Angelo sur lequel la maîtresse des lieux écrit, le matin, au retour de ses promenades au hasard desquelles elle croise des animaux bien en chair.

Le domaine emploie aujourd'hui vingt et un serviteurs, et plus de deux cents ouvriers y cultivent la vigne et la lavande. On y retrouve également un élevage de papillons dont s'occupe personnellement Amélia, des serres abritant des milliers de glaïeuls, ainsi qu'une pépinière où poussent toutes les essences de chêne. Et parmi celles-ci il y en a une, extraordinaire entre toutes, appelée « chêne arc-en-ciel » en raison de son fabuleux feuillage qui, au soleil levant et au soleil couchant, prend l'aspect d'un gigantesque bouquet de papillons.

TABLE DES MATIÈRES

Les titres de la collection Atout

* Lecture facile ** Lecture intermédiaire *** Lecture difficile